AINSI VOGUE LA GALÈRE

LAURENT CAUSEL

AINSI
VOGUE LA GALÈRE

LAURENCE OLIVIER FOUR

« A chaque être, plusieurs autres vies me semblaient dues ».

A. Rimbaud
(Une saison en enfer)

PREMIÈRE PARTIE

I

Vlaoum!

La terre s'ouvre et tressaille au-dessous de moi comme une femme. Je me cramponne à elle, à demi asphyxié par la fumée et la poussière.

Vlaoum!

Cette fois, j'ai été soulevé et j'ai senti le souffle empesté de la bombe comme l'haleine brûlante qui doit s'échapper de l'enfer.

Je me colle au sol, la tête enfouie dans la terre, et respire l'odeur chaude de l'humus mêlée aux effluves qu'exhale la botte du cadavre étendu devant moi.

Il existe une volupté de la peur. Si j'ai le temps, un jour, j'écrirai quelque chose là-dessus. Comme l'autre, elle prend sa source dans les entrailles et se répand en vagues houleuses sur tout le corps.

L'estomac se serre, les nerfs des jambes se para-
lysent, le cœur a des ratés et le sang bat les
tempes à grands coups, semblable au flux de la
mer sur le rivage.

J'ai peur. Une bonne trouille qui me secoue sur
le sol et fait vibrer la peau de mon ventre d'un
tremblement nerveux. J'ai peur et je ris. C'est extraordinaire ce rire haché par ma mâchoire qui
claque. Ce rire me fait encore plus peur que la
peur elle-même.

Je me souviens — ceci est écrit bien après
l'événement — que cette propension pour les émo-
tions fortes et pour la peur en particulier me tenail-
lait dès ma plus tendre enfance. A dix ans, pendant un séjour en pays de Galles, je descendis tout
seul par bravade dans le souterrain d'une vieille
abbaye. Perdu dans le labyrinthe des couloirs,
j'éteignis volontairement ma bougie et pour porter
mon émotion au paroxysme, je poussai un hurlement d'effroi. L'effet dépassa mes prévisions. Ma
terreur fut telle, que je perdis connaissance.

Vlaoum!

Est-ce que je vais laisser ma peau dans ce trou?
Ah! ce vrombissement crescendo des avions qui
plongent! Ce « vouiouiouiouioui » qui vous glace la
moelle. Décidément, je suis un grand froussard qui
s'ignore.

Il y a là, sous mon nez, une petite fourmi que je regarde en louchant. De ma vie je n'ai vu de si près cet insecte formicidé. Elle a une tête aplatie, un crâne de brute avec de féroces mandibules. On s'aperçoit que ces petites bêtes dont on ne se soucie guère habituellement sont faites, quand on les observe, à l'image de l'homme. J'hésite à l'écraser — on ne sait jamais, dans ce cycle étourdissant de la nature: la main de l'homme pesant sur la fourmi, et cet orage de fer sur ma tête — j'hésite et brusquement je l'écrase par défi.

Attention! «Vouiouiouiouioui»… l'éclair d'une seconde j'imagine — maudite imagination! — mon écartèlement sous la bombe.

Vlaoum!

Une cataracte de pierres s'écroule avec un bruit titanesque. La terre craque de partout. On se croirait entraîné dans un cataclysme universel. Je ferme les yeux. Des images rapides se succèdent: des bondissements, des éclatements, des fusées de feu. Une cloche grave sonne un glas funèbre à mon oreille. L'église de mon enfance. Je frissonne. Est-ce que le passé ne tourne pas dans une ronde incohérente à l'heure de la mort?

La mort! Curieux! Cette idée évoque un visage de femme, un visage aimé, renversé, les yeux sombrés, la bouche offerte dans le suprême aban-

9

don. De ses lèvres douloureuses, monte une litanie diluée dans les notes graves, dite d'une voix lointaine, profonde, une voix de nuit : « Toi... Toi... Toi... ». Cette prière de mourante abîmée dans la volupté, ce chant de la chair en extase imprime à mon corps un frisson de bête blessée, des ondes douloureuses géocentriques aboutissant au périnée.

Et soudain, comme fouetté au sang, je me crispe sur mes poignets, bande mes muscles endoloris, en luttant rageusement contre cette bête peureuse : mon corps, mon pauvre corps d'homme, je m'arrache à la terre gluante qui s'accroche à moi jalousement.

Me voici debout. Debout, immensément grand au-dessus des cadavres et des pierres croulées, dans l'ouragan apocalyptique de fer, de poudre et de feu. Debout, étonné de moi-même, si étrangement dédoublé. Sous le sourire lointain du visage évoqué, je ne suis plus seul.

Alors je sors de mon étui avec peine — tant mes doigts sont engourdis par la peur — une cigarette que j'allume en tremblant — je dois prendre mon briquet à deux mains — et les pieds crispés, les jambes molles, la tête pleine de vertiges, le cœur chaviré mais la cigarette aux lèvres, je dévisage, plus pâle que la mort, la mort elle-même.

Homme, emplis-toi la vue de ce gigantesque spectacle! Admire cette poésie en sa puissante insanité! Que tes oreilles gardent le souvenir éternel d'une musique interstellaire dans sa profonde orchestration macabre.

Sur un fond d'incendie d'or et de pourpre encadré d'immenses draperies de fumées noires, une ville agonise, une ville s'effrite, et s'écroule, et se meurt. Des pans de murs aux fenêtres béantes sombrent et s'écrasent avec des crépitements d'étincelles. Des rues jaillissent en l'air et retombent en pluie de pavés. Un toit flambe et s'affaisse soudain en poussant un soupir de détresse.

Et toujours le vrombissement des moteurs, la charge en *forte* des avions qui piquent, l'éclatement brutal des explosions et le roulement sourd des pierres qui croulent.

La rue n'est plus qu'un ravin encombré de cadavres, de camions en flammes, de chevaux éventrés. Au sommet, l'église se tient droite et triste. Les éclairs des bombes se succèdent à un rythme de plus en plus rapide. Et les éclatements ininterrompus forment une rumeur cave si intense qu'elle semble au silence immense du néant.

L'œil agrandi ne saisit plus qu'une suite de tableaux violents qui se juxtaposent à une vitesse vertigineuse dans une ronde infernale: éclaboussements de feu, opacités de fumées, zébrures d'éclairs, murs qui croulent, et, là-haut, toujours debout, le clocher de l'église qui apparaît et disparaît dans les sombres volutes noires.

Un chien cerné par les explosions se sauve affolé, s'arrêtant à peine de temps en temps pour flairer les cadavres. En passant près de moi, il me jette un regard étonné.

Dans un éclair, je vois soudain le clocher qui éclate. La croix tronquée tombe en tournoyant dans les flammes.

On frappe à la cloison. Mon voisin de cellule m'appelle:

— Hé! le nouveau! Tu n'aurais pas une cigarette?

Je n'ai pas envie de répondre. C'est peut-être la dixième fois qu'il cogne aujourd'hui. Si je fais la sourde oreille, il se lassera sans doute.

Il cogne de nouveau. Ah! D'une main hésitante, sans enthousiasme, j'extrais de mon slip un paquet de *troupes* ramollies. Sept! Plus que sept cigarettes! Si je lui en donne une, il m'en restera six. J'ai bien un peu d'argent caché dans le talon de ma chaussure, mais quand et comment pourrai-je en acheter?

— Hé! le nouveau! Tu roupilles?

Décidément, je vais lui donner sa cigarette sinon je n'aurai pas la paix.

Il n'y a que vingt-quatre heures que je suis enfermé dans cette prison et j'en connais déjà tout le mécanisme. On place le bat-flanc debout contre le mur et l'on grimpe jusqu'au vasistas, après avoir pris la précaution de bloquer avec son mouchoir ou un morceau de papier le volet du judas de la porte. Ceci pour éviter les coups d'œil indiscrets du gardien. En plus des barreaux, la petite fenêtre est condamnée par un grillage métallique aux mailles serrées. Mais le cadre en bas est discrètement dévissé. Il suffit de passer la main — lorsque la sentinelle qui fait les cent pas dehors derrière les barbelés tourne le dos — et vous saisissez la ceinture que votre voisin fait osciller par l'autre extrémité, de la lucarne à côté.

Tandis qu'une main experte jaillit de la fenêtre et agrippe mon petit paquet, j'entends à peine dans un chuchotement pourtant forcé :

— Merci. Je te la rendrai demain.

Demain! Je ne puis m'empêcher de sourire. Comment? J'ai déjà remis le grillage en place et m'apprête à redescendre quand la voix m'interroge de nouveau :

— Où as-tu été refait?

— A Oheneims.

— Moi à Schaffhouse. C'est la combien?

— Troisième.

— Moi, quatrième. Tu me connais?

— Non.

— Daniel... Daniel Barges!

— Connais pas.

— Tu n'es pas d'ici alors?

— Non.

— Ah! voilà! Parce qu'ici tout le monde me connaît. Tu viens d'où?

— Mosbourg.

— C'est dur là-bas?

— Comme ça.

— Fais gaffe! Le posten revient. Tu monteras ce soir. On causera. La nuit, on est tranquille.

Je suis déjà redescendu mais j'entends la voix qui insiste:

— Hé! hé! le nouveau! Comment tu t'appelles?

— Georges.

— Georges comment?

— Georges Debray.

— Bon. Je t'appellerai Jo, c'est plus facile, tu comprends.

J'ai remis le bat-flanc en place, enlevé mon mouchoir du volet, et repris le papier hygiénique qui me sert de cahier. Mais je n'arrive pas à écrire une ligne. Jo! Cette façon de m'appeler me torture.

14

Que de souvenirs! Je vois des lèvres qui s'arrondissent pour prononcer cette syllabe comme une moue qui appelle le baiser.

Le jour blanchit les grands rideaux de mousseline. Un coq enroué chante dans la cour. D'autres lui répondent au loin. Une porte claque en bas. Le jour se lève. Un jour nouveau.

Je ne sais où je suis, mais qu'importe! Je reste engourdi, bercé par une rêverie delicieuse d'inconscience et de bien-être. Le contour des meubles se précise dans une chambre inconnue. La commode sous un fouillis de linge de femme, le canapé encombré de mon équipement et de mon casque... Mon casque!

Je m'oblige à ne pas penser, à ne pas réfléchir pour prolonger indéfiniment cette minute. Je m'allonge et m'étire, savourant longtemps la voluptueuse détente de mes muscles et la caresse tiède des draps sur la peau. J'ai voulu dégager mon bras que l'engourdissement paralysait, alors elle a bougé.

Elle s'est coulée contre moi avec une joliesse de chatte amoureuse, enserrant mes jambes entre ses cuisses chaudes, nichant son nez dans le creux de mon épaule.

Cette boule noire aux boucles folles qui me pèse sur le bras, la chaleur de ce corps aux seins durs qui s'appuient sur ma poitrine. L'étau voluptueux de ces cuisses brûlantes, je ne cherche pas à les identifier. Que m'importe! C'est elle! C'est la femme!

Ai-je demandé autre chose à la vie? Ma jeunesse? Un enthousiasme exaspéré pour les jeux: la course qui vous brûle la poitrine, la lutte qui vous meurtrit les muscles, la nage et l'ivresse ensorcelante de l'eau, la boxe et la rage fougueuse de se battre. Enthousiasme que partageait cette autre soif, celle d'apprendre qui ne me lâchait plus jusqu'à ce que l'objet de mon étude fût vidé de toute sa substance.

Et puis ce fut l'épreuve de l'amitié, de la solitude, du mysticisme, jusqu'à l'ultime, celle de l'amour, suprême révélation que j'attendais, le seul combat qui méritât de vivre.

Ah! si je ne dois plus connaître le moment sublime où, désespérément grave, avec des gestes irrémédiables, je dispose sous moi la proie écartelée, que je meure à l'instant même!

Je me lève soudain furieux et me mets à arpenter les trois pas de ma cellule. Il me vient ce soir du fond de mes entrailles une douleur aiguë, une tristesse affreuse de bête captive et désespérée qui se déchire en vain entre les dents de l'étau inexorable.

16   Adieu galopades nocturnes, vent de la course,

proie encore toute chaude et toute palpitante que l'on déchire avec joie! Adieu symphonie des arbres, senteurs des terres fécondées par la pluie, cris sauvages des femelles possédées! Adieu flamboiement du ciel, eau qui cascade sur les roches, odeur lactée des petits qu'on lèche amoureusement! Adieu la vie!

Je ne sais depuis combien de temps je marche ainsi. Mon esprit tourne à vide avec des images décousues. A force de penser, je suis ivre, et mon corps aussi est ivre de faim et de fatigue. Le bat-flanc, le mur, le vasistas, le seau. Le bat-flanc, le mur, le vasistas, le seau. Le bat-flanc, le mur, le mur, le mur... Je n'en sortirai pas!

— Jo!

Je tressaille. Elle a une voix extraordinaire. Une voix un peu dentale. Pour prononcer *Jo*, elle avance les lèvres en moue de petite fille à qui on vient de refuser un gâteau. Ses seins petits en forme de citron pointent déjà dangereusement le corsage.

La chaleur, la faim, la soif, l'odeur du foin... La sueur qui goutte de mon front dans les yeux me brûle et fait sous mes sourcils un écran vitreux à travers lequel je la vois qui danse. Les taons avides de sang me piquent furieusement le dos et mes nerfs sont à bout d'exaspération.

Je l'ai aidée à monter au sommet de la charrette. Et j'ai tenu dans mes mains sa taille souple. Et quand elle s'est hissée en haut, j'ai vu ses cuisses dorées jusqu'à l'yoni lumineux de sa culotte.

Admettons que le vieux ne rentre pas tout de suite, qu'il me laisse conduire la voiture seul avec elle. Il y a un moment où nous sommes cachés, où nous sommes isolés dans le chemin désert, et là, sans même arrêter les chevaux, je peux la rejoindre en haut dans le foin.

— Jo!

C'est elle qui m'appelle. Ce n'est pas possible. Sa voix étouffée me parvient de là-haut. J'aperçois au loin derrière, une dernière fois le vieux qui retourne le foin. Même s'il partait maintenant, il ne pourrait nous rejoindre avant la ferme. Devant, le chemin s'étire dans la solitude des chaumes blonds. Le clocher est encore loin. Les chevaux marchent au même rythme lent, l'encolure basse, et fouettent en cadence leur croupe de leur queue.

— Jo!

Elle l'aura voulu! Je noue les guides solidement au timon, et en m'aidant de la corde, je monte avec mille précautions pour ne pas renverser le foin.

Elle est étendue sur le dos, la jupe troussée au-dessus des genoux, les mains sous la nuque, la poitrine pointée vers le ciel, les yeux mi-clos, essayant sans doute de me faire croire qu'elle ne m'a pas vu. Attention! Il ne faut pas l'effrayer. Je m'assieds à côté d'elle et dis négligemment, en évitant de la regarder:

— *Er ist warm!*

— *Ja!*

Je m'enhardis jusqu'à poser une main discrète sur son genou. Elle tressaille mais ne se dérobe pas. Allons-y:

— *Ich liebe dich!*

— *No!*

Son rire trop nerveux la trahit. J'avance la main. Sa peau a un grain dur. C'est une joie de promener mes doigts sur cette soie élastique et grenue.

Rien à l'horizon. Le clocher vibre encore loin dans l'air tiède. Derrière, le chemin est désert. Je glisse imperceptiblement jusqu'à sa hauteur et brusquement la saisis à la taille. Elle se débat violemment en essayant de se soulever.

— *Jo!...*

Le bat-flanc, le mur, le vasistas, le seau... Depuis combien de temps je marche ainsi? La lucarne est noire. Il fait nuit.

— *Jo!*

Ah! Mon voisin! Je l'oubliais. Il a une voix extraordinaire, une voix dentale lui aussi. J'ai posé mon bat-flanc contre le mur après avoir bloqué l'œilleton de la porte et je me hisse jusqu'au vasistas.

— Qu'est-ce qu'il y a?

— Tu en mets du temps à répondre! Tu roupillais? Ça fait une plombe que je t'appelle!

Cette voix étrange qui chuchote dans la nuit tout près de moi me fait une curieuse impression. J'ai de nouveau tiré mon paquet de cigarettes:

— Passe-moi ta ceinture!

De l'autre côté des barbelés, le *posten* marche du même pas égal. On aperçoit sa forme confuse. Bientôt il va passer sous les fenêtres, près de nous, puis nous tourner le dos. La nuit est claire. On distingue en contrebas les toits des baraques du camp comme les pierres tombales d'un cimetière, et par-dessus, l'étrange structure des miradors. Plus loin, la barre noire de la forêt.

Un souffle s'anime dans la prison, une rumeur légère de petits bruits: froissements, crissements, chuchotements. Les conversations s'établissent de cellule à cellule, à voix basse.

Crac! crac! crac! Le pas de la sentinelle sur le sol dur scande le silence limpide de la nuit. De temps en temps, un oiseau de nuit pousse un hululement triste. Les constellations dans le ciel poursuivent leur course infinie avec de mystérieuses vibrations.

Il a dû descendre pour allumer sa cigarette car je l'entends grimper de nouveau à la fenêtre, et au bout d'un instant, quand la sentinelle a tourné le dos, son chuchotement reprend d'une voix plus rauque :

— Est-ce que tu es marié?

Je ne sais pas pourquoi, j'ai attendu un instant avant de répondre *oui*. Il me demande aussitôt :

— Tu as des photos de ta femme?

— Pourquoi?

— Pour me les montrer pardi!

— Tu attendras demain. Mes papiers sont camouflés dans mes chaussures et c'est une histoire pour les enlever.

J'ai entendu son souffle chasser la fumée de sa cigarette. Puis sa voix enrouée qui me surprend toujours :

— Raconte-moi ta nuit de noce.

C'est étrange cette voix si proche qui s'adresse à moi dans l'ombre. J'ai de la peine à lui donner un visage. Le *posten* revient. Les chuchotements s'éteignent progressivement à mesure qu'il approche. J'imagine, derrière les fenêtres obscures, tous les regards qui suivent la sentinelle, et les têtes qui tournent ensemble lentement avec la même oscillation. Il y a un long silence troublé seulement par le

21

froissement léger du vent qui nous apporte en vagues insinuantes les senteurs poivrées de la forêt.

Et soudain, je songe à mes nuits de Mauritanie. Je ne sais pourquoi. A cause des étoiles sans doute et du silence. Etendu sur le dos, face au ciel, dans la nudité du désert où rien, ni toit, ni arbre, ni poteau télégraphique ne peut servir de repère terrestre, je suis emporté, par une curieuse transposition sensorielle, dans un tourbillon vertigineux au-dessus du gouffre de l'infini. Et cette impression est si intense qu'instinctivement je m'agrippe à la terre pour ne pas sombrer dans l'abîme de l'espace.

Le chuchotement grave qui reprend à la fenêtre à côté me fait tendre l'oreille:

— Qu'est-ce que c'est au juste les étoiles?

Tiens, lui aussi regardait le ciel? Je m'apprête à lui expliquer quand brusquement un hurlement déchire la nuit. D'autres aussitôt lui répondent. Les sirènes mugissent comme des bêtes affolées. Alerte! Dans le camp, c'est une cavalcade effrénée: les soldats se précipitent à leurs postes. Au-dessus de la ville les faisceaux des projecteurs balayent le ciel. Un frisson court dans la nuit.

Et soudain on entend ce bourdonnement d'insecte qui chaque fois m'émeut. Le vrombissement s'intensifie comme une colère sourde avant l'explosion. Et déjà je ne puis maîtriser la débâcle de mes nerfs qui vibrent dans tout mon être avec des frissons douloureux, ces spasmes d'extrême excitation qui me secouent également avant le plaisir.

II

Un, deux, trois, criss! Le grincement de mes semelles dans le demi-tour. Un, deux, trois, criss! La porte étroite avec son judas noir de crasse. Un, deux, trois, criss! Le carré de ciel gris rayé par les barreaux de la lucarne. Un, deux, trois, la porte! Un, deux, trois, la lucarne! Un, deux, trois, la porte! Un, deux trois, la lucarne!...

Les heures passent les unes après les autres en se traînant et s'effilochant le long de la grisaille des murs et du ciel. Mon pas qui ne connaît plus que cette oscillation monotone a le rythme d'une horloge. Un, deux, trois, tournez! Un, deux, trois, tournez!

A chaque demi-tour, je jette un coup d'œil de côté au bat-flanc. Vais-je me coucher cette fois? Non! Un, deux, trois! Le rythme impitoyable de la marche m'emporte inexorablement.

L'espoir perdu, reste l'attente. L'attente de quoi? Que peut-il bien m'arriver? Je ne sais. Mais il est impossible que les heures se suivent indéfiniment sans qu'une au moins soit différente des autres!

J'ai fait le tour de mon passé. J'ai ressassé tous mes souvenirs, à la recherche des moindres détails oubliés, comme j'ai retourné toutes mes poches pour trouver des raclures de tabac. Et bien que sachant mon exploration vaine, je continue cette investigation obsédante.

L'allée des ormes s'ouvre devant moi. Encore!... Au bout, les deux tourelles se profilent comme un décor de théâtre. Mon père a déchargé son fusil. Machinalement j'en fais autant. Rita continue à battre les fourrés et nous jette de temps en temps un regard interrogateur: eh bien! vous ne jouez plus?

— Qu'est-ce que tu en penses?

La question est posée inévitablement pour la centième fois comme dans une séquence de film répétée indéfiniment. Et inéluctablement, je marche lentement sans répondre en calculant le temps qu'il me reste pour atteindre le bout de l'allée. Cinq minutes! Cinq minutes pour décider de mon avenir!

Certes mon parti est pris. Je vais répondre *oui*. Et si ma réponse se fait attendre, c'est parce que je me rends tout de même compte que cette décision est importante. Aujourd'hui je n'en suis pas si sûr. Est-ce vraiment important? Rien n'est important sinon d'être emmuré et de faire indéfiniment trois pas dans un sens et trois pas dans l'autre.

Important! Je croyais faire le sacrifice de ma liberté. Ai-je été moins libre une fois marié? Je croyais aussi que la guerre serait pour moi une évasion. N'est-ce pas la guerre qui m'a conduit ici? Tout est relatif.

Jamais mon père ne m'est apparu aussi faible. Comment a-t-il pu aborder ce sujet? C'est le premier entretien sérieux que nous avons ensemble et j'en suis encore tout étonné. Que mon avenir, et peut-être le sort de ma famille dépendent de ma réponse me paraît une plaisanterie grossière. Je n'en tire aucune vanité mais au contraire une profonde déception. Où t'en vas-tu, jeunesse?

Pour meubler ces cinq minutes, j'interroge sans conviction :

— Et... il faudrait l'épouser maintenant?

Que faisait-elle à ce moment Annick? Se doutat-elle ensuite que son sort s'était décidé de cette façon? J'essaie de découvrir le moindre indice, mais non vraiment, non rien. J'ai beau fouiller nos entretiens les plus intimes, je ne vois qu'opinements d'Anne.

A ce départ pour la guerre où je me sentais si

joyeux — oui, joyeux! Un, deux, trois, criss! Cela maintenant me fait un peu honte — elle n'a su que me dire *oui* en inclinant son visage mouillé de larmes.

— Je t'écrirai.

— Oui, faisait-elle, en agitant son petit nez pour toute réponse.

— Et puis, il y aura les permissions, je reviendrai.

— Oui.

— Et puis, je ne pars pas pour la guerre de Cent Ans.

— Oui.

Je m'assieds, soudain pris de vertige. J'aurais dû garder à boire. Ma gamelle est vide, mon estomac est vide, ma tête est vide, tout n'est que vide!

Demain, je partagerai mon pain en trois parts égales: une pour le matin, une pour le midi, une pour le soir. Je ne boirai pas tout non plus. Je ferai six rations, non cinq, non quatre... Et aussitôt je transforme à coups d'ongle ma gamelle en éprouvette graduée.

— Immédiatement non. Mais il faudra te fiancer rapidement.

Tiens, le voici revenu! L'allée des ormes aussi avec les tourelles qui se rapprochent. Rita s'élance vers la ferme. J'ai toujours la même question sur les lèvres mais je n'ose la formuler. Et puis finalement, je la lâche en essayant de conserver une attitude indifférente qui cache mal une réelle inquiétude :

— Elle n'est pas trop moche au moins?

Il s'est arrêté. Je sens qu'il veut me convaincre. Et avec tout l'élan enthousiaste qui lui donne la sensation d'une victoire prochaine :

— Mais pas du tout! Au contraire! Elle est même jolie. Elle fera une très honorable petite femme.

— Soit, j'accepte.

Rita pourchassée par les chiens est revenue se blottir peureusement dans les jambes de mon père. Il s'est baissé pour la caresser. Et c'est ainsi que je le vois, prosterné à mes pieds, se retournant vers moi et me souriant de côté, les lèvres jointes. O ce sourire! Mon enfance qui me saute à la gorge!

On m'a écarté de la chambre où je ne rentrerai plus jamais. Maroux renifle dans la cuisine. Et je suis seul, le nez à la vitre, regardant la pluie qui tombe, essayant de comprendre ce qui se passe. Cette cuisine que j'aime tant, ce temple rouge embué par l'encens délicieusement odorant des marmites aurait-il perdu son sortilège? Je ne m'explique pas cette trahison. Et mon père qui sent mon désespoir me prend dans ses bras:

— Nous allons partir demain à Paris, chez tante Angèle, par le train, hein? Tu aimes ça, le train?

— Avec maman?

Tout de suite, j'ai compris l'incongruité de ma question. Devant mon visage contracté, il a souri en coin, les lèvres serrées. Déjà je sens tout ce qu'il y a de navrant dans ce sourire, sa façon à lui de pleurer sans doute. Pauvre vieux!

Un, deux, trois, criss! J'ai repris le licol de ma noria. Le fait est que je puis marcher les yeux fermés indéfiniment sans me cogner tant mon pas est habitué à l'aire de la cellule.

Tout me paraît maintenant comme une bouffonnerie sans nom dont je fais les frais. Une farce, mon mariage! Une farce, la guerre! Une farce, la captivité! Combien de temps vais-je tourner ainsi entre ces quatre murs? Et le démon qui me donne du coude et me souffle à l'oreille:

— Qu'est-ce que tu attends?

— Quoi?

— Qu'est-ce que tu attends pour t'évader, pour larguer les amarres?

— Pfft! Il s'agit bien d'évasion! Ces fugues-là ne réussissent jamais. On est toujours repris. L'homme est esclave de sa condition.

— C'est faux!

— Comment c'est faux?

— Chacun tient son destin dans ses mains.

J'ai un geste d'impatience contre cette ombre qui me poursuit. Et me voici mâchonnant mes mots à haute voix pour bien me faire comprendre :

— Lorsqu'on m'a fait sortir de mon trou et qu'on m'a obligé à marcher les mains en l'air, une mitraillette dans le dos, sincèrement j'ai poussé un ouf! de soulagement : je suis en vie, tout est de nouveau possible!

J'imaginais, je ne sais pourquoi, qu'une fois prisonnier, on avait rompu avec son passé, sa famille, son état-civil. Tout sombrait dans le néant, tout recommençait à nouveau. On changeait de peau. Quelle occasion inespérée! Ce miracle d'être en vie, n'était-ce pas une nouvelle chance que le destin m'offrait?

— Et alors?

— Le destin tient parfois à un infime détail. Dans sa dernière lettre, Annick s'inquiétait. Le petit faisait une forte fièvre. On ne savait pas au juste ce que c'était : angine? diphtérie? Avait-elle pu le soigner pendant l'exode? Est-ce qu'ils avaient réussi à gagner La Grange? Comment savoir sinon en lui signalant que j'étais prisonnier?

— Ah! ah! sentimental! Te voici rassuré maintenant. Pourquoi n'as-tu pas essayé à nouveau?

— J'ai essayé à nouveau... sans succès.

— Tu veux parler de tes évasions?

— J'avais de magnifiques faux papiers d'identité. Il me suffisait de déclarer qu'ils étaient vrais et je m'appelais Albert Dürer.

— Et alors? Ce nom ne te plaisait pas?

— Que m'importe le nom! Seulement cette identité civile inquiétait la police. J'ai préféré décliner mon nom et ma qualité de prisonnier de guerre. En temps de troubles, on a davantage d'égards pour les soldats.

— Ah! ah! poltron!

— Je ne pourrai jamais. Les jeux sont faits. Toute dérobade est une lâcheté.

— Tu n'as qu'une vie!

— Raison de plus pour ne pas la recommencer vingt fois.

— Alors bonsoir! Continue à te cogner la tête contre les murs. Moi je te laisse tomber.

— C'est ça. Bonsoir. Fous-moi la paix!

Un, deux, trois, criss! Me voici enfin seul! Que la solitude est plaisante! Et le silence! Si je pouvais faire taire toutes ces rumeurs dans ma tête, ces coups répétés contre mon crâne! Pan, pan, pan, pan!

Ah! C'est mon voisin qui cogne. Il est fou de

frapper ainsi! Il va donner l'alerte. J'installe le bat-flanc contre le mur et grimpe à la lucarne. Tiens, il fait nuit! Je dormais ou je rêvais debout?

— Qu'est-ce qu'il y a?

La voix enrouée me souffle tout près :

— Eh bien! dis donc! Tu en fais un boucan! Avec qui tu te bagarres?

Je frissonne. On dit que les prisonniers deviennent fous à force de solitude. Si je n'arrive plus à me maîtriser! J'essaie de plaisanter :

— Avec une ombre. Ah! ah! ah!

Mais mon rire sonne faux. Le ton de sa voix devient alors terriblement sentencieux :

— La faim, des fois, ça fait déconner!

— Non, je tenais simplement un conseil de famille.

Et me voici parti dans des explications où je m'embrouille littéralement. Je sens que tout ce que je dis est idiot. Mais je ne puis m'empêcher de parler. C'est un peu comme si j'étais ivre et incapable de me contrôler. Il ne doit rien comprendre. Je mélange l'amour d'une chaste cousine à la passion brûlante d'une Radijah de quatorze ans, mes nuits de Mauritanie avec mes insomnies dans les chambres d'hôtels au cours de mon voyage de noce.

Mais il écoute, il écoute avidement, je le sens. 33

Et quand le passage de la sentinelle m'oblige à un instant de répit, c'est lui le premier qui m'appelle :

— Alors? Et la suite?

— La suite?

— Tu disais qu'elle était blonde avec une bouche de...

— Merde! tiens!

— Quoi?

— J'en ai marre! J'en ai marre! Tu as compris?

Je perds pied. Je ne sais plus où m'accrocher. Le fait est que le désespoir n'a pas de fond.

— Dis-moi un peu qu'est-ce qu'on fout là? A quoi ça rime? Qu'est-ce que c'est cette foutue guerre et cette chienne de vie?

— Ta gueule! Tu vas nous faire repérer.

— Je m'en fous! Qu'on me passe à tabac, qu'on me descende, n'importe quoi plutôt que d'attendre là, enterré vivant entre ces quatre murs.

— Tu es un vernis. Les vernis, ça ne tient pas le coup. Ça se dégonfle comme des lavettes.

J'ai appuyé mon front contre les barreaux. Et cette fraîcheur sur ma fièvre, et cette étrange voix malgré tout affectueuse me font du bien.

— Vernis?... Oui, tu as peut-être raison au fond. J'étais un vernis. J'ai toujours fait ce que j'ai voulu. C'est ça la liberté, même de s'engager dans la Légion comme ça, pour rien, à la suite d'un pari et pour ne pas manquer à sa parole ou d'épouser la fille d'une grande marque d'huile pour faire plaisir à son papa dont on se fiche éperdument par ailleurs. Oui, vernis. Je pouvais faire n'importe quoi à condition que ce soit moi qui le veuille. Seulement ici, ce n'est pas moi qui ordonne, c'est un autre. C'est ça la captivité : subir la volonté de quelqu'un d'autre.

— Qu'est-ce que je dirais, moi, je n'ai jamais connu la liberté !

Dans le ciel de plus en plus sombre, les étoiles commencent à scintiller. La silhouette noire de la sentinelle, hérissée du fusil, se profile contre les barbelés, et ce tableau désolé, et le martèlement sourd des semelles donnent à notre entretien une impression de fatalité irrémédiable.

La phrase a été dite sans amertume comme le résultat d'une simple constatation. Mais au souffle interminable pour chasser la fumée de la cigarette, je devine au cœur une peine sournoise.

Et voici que j'écoute cette respiration à côté. Et voici que j'appuie mon visage contre les barreaux pour mieux me faire comprendre. Et les mots ne jaillissent plus tout seuls, poussés d'eux-mêmes, mais je les choisis. Et ma voix se fait plus grave, plus chaude, plus convaincante.

— Tout de même, tu n'as pas toujours été prisonnier?

— Si... Enfin, c'est tout comme!

Il a un petit raclement rauque de la gorge comme une amorce de rire et puis un sifflotement léger, à peine perceptible, les premières notes d'un air connu que je n'arrive pas à identifier. Enfin il parle :

— Je me suis barré à treize ans. Il faut te dire que j'étais pupille de l'Assistance Publique et que j'étais placé chez un tôlier, un vrai salaud.

— Et alors?

— Et alors? J'ai été refait. A cet âge, on n'envisage pas la liberté sans un port. Les cognes le savent aussi. C'était facile.

Nouveau souffle interminable de la fumée.

— Le juge a essayé de m'avoir. On m'a proposé ce qu'il y avait de mieux comme crèche, du coton. J'ai refusé. Je leur ai dit que je préférais crever plutôt que de retourner chez des particuliers. J'en avais marre de bosser, une idée de gosse quoi! Alors on m'a foutu en tôle.

J'entends encore une fois cet air sifflé du bout des lèvres, entre les dents. Pour dire quelque chose, je lui demande :

— Et... tu es resté longtemps en tôle?

— Jusqu'à la guerre. On nous offrait un engagement dans l'armée. Tu parles si j'ai sauté dessus. J'ai même dû falsifier les papiers, j'étais trop jeune.

— Mais quel âge as-tu donc?

— Dix-neuf ans.

Il a un petit souffle rauque de la gorge : son rire fêlé qui ne veut pas sortir.

— Une fois soldat, c'était pire. La vie de *joyeux* n'est pas marrante. On est encore moins libre qu'en tôle. Et puis *ils* ont eu le soin de nous envoyer en première ligne. Trois jours après, j'étais refait au cours d'une patrouille. Prisonnier à vie quoi! J'aurai vingt ans dans trois mois. Vingt ans et en cabane!

Un vent tiède nous parvient en rafales légères de la forêt, un vent chargé de senteurs vernales : l'odeur tonique des résines de sapins mêlée au musc opiacé de l'humus. J'essaie de deviner dans l'obscurité la bande plus foncée qui indique la masse des arbres à la lisière. Elle se distingue à peine. Mais l'œil est tellement habitué à la trouver là à sa place dans le cadre de la lucarne qu'on la sent cette forêt évocatrice, propice, hospitalière. Et je suis pris soudain d'un grand désir de marcher à l'abri de ces frondaisons profondes sur un tapis moelleux de feuilles mortes, le visage giflé par les branches humides, l'oreille attentive au moindre bruit, le souffle un peu oppressé, le pas scandé au rythme d'une symphonie héroïque, avec derrière moi, très proche, si proche que je sens sa respiration, l'ombre amie.

Il parle. Oui, il parle et je ne l'écoutais pas :

— Je n'ai jamais couché avec une femme. Tout ce que je t'ai raconté sur les filles, c'est du bidon!

Cette fois, le rire a jailli pour de bon. Mais son raclement éraillé s'arrête net. Dehors le *posten* a fait demi-tour et marche sous nos fenêtres.

J'attends un moment, la tête baissée sous la lucarne. A mesure que le pas de la sentinelle décroît, les chuchotements reprennent. Mais dans la cellule à côté, plus aucun bruit. Il a dû se coucher. Je l'appelle doucement. Il ne répond pas.

J'ai appuyé mon front contre les barreaux glacés et j'aspire avidement le vent de la forêt. C'est l'heure où la nature se recroqueville, pelotonnée sur elle-même, pour chercher le sommeil, un peu de chaleur et l'oubli. Mais je sens la peine stagner comme une fumée épaisse dans une chambre confinée. L'oubli ne viendra pas ce soir. Que faire?

Je n'ai même pas une cigarette à lui offrir. Il faut pourtant que je trouve quelque chose. Lui parler, lui dire n'importe quoi! Qu'il sache que je suis là, qu'il n'est pas seul!

Je frappe contre la cloison les petits coups habituels et le visage tout contre les barreaux, la bouche sortie au maximum, j'appelle en forçant la voix au risque de donner l'éveil à la sentinelle:

— Daniel! Daniel!

Je dois appeler plusieurs fois avant d'entendre enfin le léger grincement du bat-flanc contre le mur et le chuchotement grave de sa voix:

— Qu'est-ce qu'il y a?

— Pourquoi es-tu redescendu?

— J'ai sommeil.

— Tu aurais pu me dire bonsoir.

— Qu'est-ce que ça peut te foutre?

— Tu as une cigarette?

— Non.

— Tu fumais tout à l'heure.

— C'était un clope.

— Tu n'en as plus?

— Non.

Sa voix est plus vibrante, comme modulée par l'émotion. Je voudrais lui dire l'essentiel mais comment se parler ainsi sans se voir, sans suivre sur le visage l'impression des paroles?

— Qu'est-ce que tu as?

— Rien. Pourquoi?

— Je ne sais pas. Ta voix n'est pas la même que d'habitude. On dirait que tu es fâché ou en colère.

— Pfft!

— Dis donc? Tu n'as pas envie de te barrer?

— …

— La prochaine, si on la tentait ensemble?

Il faut s'interrompre encore. Le gardien revient. Je tends l'oreille, il va peut-être en profiter pour redescendre. Mais non. Au bout d'un instant, j'entends de nouveau son raclement de gorge. J'insiste :

— Alors d'accord?

— Tu débloques!

— Pourquoi?

— Parce que… On ne se connaît même pas!

— On fera connaissance dehors.

— Tu crois qu'on peut sortir d'ici?

— On peut toujours essayer.

— Ça ne tient pas debout!

— Tu t'es déjà évadé non?

— Non.

— Pourtant tu m'as dit…

— Oui, oui, je t'ai dit…

La sentinelle revient. Il se tait. Et cette fois j'entends distinctement le raclement du bat-flanc contre le mur. Il est redescendu.

Je ne saurai jamais tendre la main juste à l'instant qu'il faut. Je n'ose pas ou je n'ai pas suffisamment de simplicité. Trop de pensées souillent la pureté si nécessaire à l'amitié. Je suis condamné à chevaucher seul.

Ce portrait du chevalier de Villeroy que l'on dit être de mes ancêtres me hante plus que jamais. N'est-ce pas l'image même de ma solitude? Devant une escorte de barons aux visages anonymes, se détache, superbe dans son costume de croisé, ce cavalier seul. Combien ce soir me pèse cette solitude et comme j'envie plus que tout le sourire d'un ami.

Ma pesanteur se fait plus lourde. Je m'allonge sur ma planche. Je ne dormirai pas ce soir, je ne dormirai pas, je le sens. Ah! que je voudrais mettre un terme à tout cela! Un terme! Est-ce possible! Le seul terme à la solitude est la mort.

La nuit est longue, longue, longue... Tout est calme alentour. Resterons-nous seuls à tirer la même chaîne, sans pouvoir nous unir?

Cette solitude est intolérable. Je ne pourrai la supporter plus longtemps. Il faut que je tente tout de suite quelque chose. N'importe quoi, n'importe quoi qui me tienne en haleine et me persuade que je suis encore un homme libre!

Eh bien! cette évasion, si je la tentais seul? Demain, quand on ouvrira ma cellule pour la corvée de latrines, je tenterai de passer dans le camp. C'est le diable si je ne trouve pas là-bas des camarades qui m'aideront. Il suffit de cinq secondes d'inattention du gardien. Je puis sauter par dessus les chevaux de frise et gagner en quelques enjambées la baraque la plus proche. Qu'est-ce que je risque? Une rafale de mitraillette? Au point où j'en suis!...

Je me suis levé d'un bond et j'arpente fiévreusement les trois pas de ma cellule. Un, deux, trois, criss! Tout est calme. Tout dort. Je voudrais troubler ce silence mais une sorte de pudeur me retient. Chaque fois que je passe sous la lucarne, j'essaie d'accrocher par une longue aspiration un peu d'air frais chargé des lourdes senteurs de la forêt. La voûte céleste continue sa gigantesque rotation. Et cette marche infinie de l'univers qui imprime aux étoiles ces pulsations mystérieuses me donne le vertige.

Je me suis laissé glisser à terre, un genou sur le sol, le visage levé vers la lucarne pour prendre les étoiles à témoin. Seigneur, ce que je vais tenter demain est irréalisable. Seul un miracle peut rendre possible cette tentative. Si demain je suis libre, c'est que Vous l'aurez voulu.

Et voici avec la même silencieuse indifférence le grand dortoir du collège et les énormes croix noires des croisées sur la froide clarté laiteuse du ciel. Je me suis jeté à genoux au pied de mon lit, et tout frissonnant, retenant avec peine mes sanglots, je lance vers l'immense inconnu mon cri de désespoir comme une bouteille à la mer.

J'ai dû faire le même petit marchandage enveloppé d'un *Pater* et d'un *Ave*. Et comme aujourd'hui, j'ai attendu vainement un signe, la manifestation d'une présence extraordinaire. Mais à dix ans, on est beaucoup plus intransigeant. On attend moins longtemps. On se relève serrant les poings, ravalant ses larmes, et l'on tourne résolument le dos à la fenêtre cruciforme ouverte sur le ciel.

Aujourd'hui, je n'ai mis qu'un genou à terre. Faut-il voir là une légère réticence ou simplement l'obscur atavisme d'une lointaine réminiscence chevaleresque? Quoi qu'il en soit, n'ayant rien senti, pas même le plus léger attouchement à l'épaule, je suis bien obligé de me relever et d'attendre le jour. Que la nuit est longue!

Epuisé, je me suis allongé sur ma planche. Ma dernière nuit peut-être! Ce corps que je vais abandonner! Je passe une main sur ma peau. Mon odeur! Cette odeur qui va s'éteindre quand mon cadavre sera froid. Que vais-je regretter de la vie? Une certaine habitude de moi, quelques joies, la femme nue que l'on tient dans ses bras, certains paysages désolés du désert...

A qui vais-je manquer? A personne. Mon père? Il en tirera une sorte de fierté qu'il arborera comme

43

une rosette à la boutonnière. Je me souviens de ce grand oncle qui proclamait en toute occasion : « J'ai eu deux fils tués à la guerre! ». Ma femme? Elle n'a pas encore eu le temps de s'habituer à moi. Son amour est fait d'attente et d'espoir. Quand elle saura qu'il n'y a plus rien à attendre, plus rien à espérer, la flamme s'éteindra privée d'oxygène. Mon fils? Il vaut peut-être mieux qu'il ne me connaisse jamais.

Allons, nous sommes bien seuls. Je l'ai compris la première fois quand, dans le grand dortoir, après avoir lancé mon cri de détresse, je me suis recouché, résigné à cette indifférence muette.

Et il me vient soudain à l'esprit que je n'aurai jamais connu une sincère amitié. Je n'aurai jamais posé ma main sur une épaule fraternelle. Je n'aurai jamais confié à un ami ma déception ou ma peine. O mon voisin inconnu! Mon premier ami! Comme je voudrais te dire tout ce qui m'oppresse ce soir! Comme je voudrais laisser couler mes paroles libres et tumultueuses semblables à un flot longtemps contenu! Comme je voudrais me perdre dans une confiance sans limite et te dire ce que je n'ai jamais dit. Comme je voudrais ensuite sentir la chaleur de ton acceptation totale, l'assentiment complet, l'entière connivence comme le bras affectueux qui entoure l'épaule et approuve sans réticence, sans condition.

Daniel, témoin inconnu de cet ultime instant, dis-moi un mot, un seul mot avec cette intonation fraternelle qui fait écho à la pensée, mon ami, mon frère!

J'ai frappé violemment mon poing contre le mur et j'ai attendu anxieusement. Mais derrière la cloison, dans sa cellule, l'autre captif reste muet.

Je me retourne sur ma planche. Les os me font mal. Ma main s'est placée machinalement sous la joue, contre la barbe dure, dans le geste enfantin du sommeil mais je ne peux dormir. Je songe à d'autres nuits, à d'autres nuits qui n'étaient pas solitaires. De la joue, la main a glissé par le col à l'intérieur de la chemise et essaie de se rappeler sur ma peau le souvenir d'une autre peau. Les reins cambrés, le visage tendu avec dans les yeux un tumultueux affolement, elle criait: « Jo, Jo, Jo... », une plainte déchirante qui s'éteignait dans un râle. Mes ongles pénètrent ma chair. J'ai des soubresauts rageurs dans une frénésie de désir. Une dernière fois avant de partir!...

L'aube blanchit la lucarne. Le jour lentement se glisse dans la cellule et chasse les ombres grises. Dans une heure ou deux, il faudra agir. Mon corps tout courbatu, meurtri par la fatigue, l'insomnie, la faim reste immobile dans une torpeur pesante.

L'esprit veille, englué de sommeil, à l'affût des bruits qui prennent avec le jour une autre résonance.

C'est d'abord le pas de la sentinelle, plus sonore, plus brutal. Une voix gutturale qui crie des ordres durs et tranchants. Un grincement de chariot qui passe sur le chemin, derrière la prison. Et j'écoute longtemps le clappement rythmé des sabots du cheval. Il y a donc encore des hommes qui vont aux champs, un outil sur l'épaule, et qui ne songent pas forcément à la guerre?

Une mouche engourdie par le froid s'est posée sur ma main. Elle est semblable à toutes les autres mouches. Que se passe-t-il dans sa petite tête? Quel est son but? Son rôle sur terre? Depuis combien de millénaires existe-t-elle? Qui a voulu qu'elle soit? Sait-elle que je puis l'écraser si je le désire?

Et moi, suis-je plus important que cette mouche? Quand mon corps disloqué dans sa chute s'immobilisera après quelques soubresauts sous l'œil torve de la sentinelle, qu'arrivera-t-il? A la même fraction de seconde un petit être viendra au monde, un couple enlacé exhalera le même soupir, un homme quelque part chantera sa joie au soleil, un autre lèvera un poing de révolte et de haine. Notre erreur c'est de se gonfler d'importance!

46   Et soudain le trousseau de clés qui tintinnabule

dans le couloir! Je me lève d'un bond et enfile ma veste. Tant pis pour ma barbe qui n'est pas faite. Je n'ai ni rasoir, ni eau. Si la mort ne me veut pas ainsi, tant pis pour moi!

J'attends, debout, appuyé contre le mur, essayant de maîtriser la dérobade de mon cœur et les vertiges qui me font monter la sueur au front.

Les pas se rapprochent. Ils en sont à la deuxième ou troisième cellule avant la mienne. Déjà j'entends mon voisin de gauche qui tousse et n'en finit pas de se râcler la gorge. C'est ainsi chaque matin.

— *Heraus! Schnell; Mensch!...*

On ouvre ma porte. J'ai pris la tinette sans attendre l'ordre du gardien et je sors en m'efforçant de masquer mon impatience par une démarche nonchalante.

Par une étrange coïncidence, la porte de la cellule voisine est encore ouverte et j'aperçois mon voisin. Mais il est tout jeune! C'est un enfant! Il s'est précipité dehors pour me voir. Ses cheveux noirs embroussaillés et son teint mat lui donnent une allure de jeune pêcheur sicilien. Il a le temps, avant d'être repoussé par le garde qui hurle, de m'adresser un sourire lumineux avec un clin d'œil de connivence.

Le *posten* n'est pas venu m'accompagner

jusqu'aux latrines. Je marche lentement dans la cour, le plus lentement possible, comme si je prenais d'infinies précautions pour ne pas renverser la tinette, titubant un peu, ivre d'air et de lumière. La sentinelle a le dos tourné. Les chevaux de frise à la porte sont légèrement tirés pour laisser un étroit passage. Je pourrai gagner la première baraque du camp sans être vu. Comme tout paraît facile! Je vais d'abord vider la tinette, ainsi le garde pourra croire que je suis encore aux latrines et je gagnerai de précieuses minutes. Je me sens en excellente forme.

Un, deux, trois, criss! Un, deux, trois, la porte! Un, deux, trois, la lucarne! Je tourne de nouveau dans ma cage. Que s'est-il passé? Tout semblait si facile! Voyons, réfléchissons : la sentinelle tournait le dos, le garde, resté à la porte, ne pouvait me voir, l'affaire était dans le sac.

Oui, mais après? Tu quittais la prison pour un camp où tu ne connais personne. Qui t'aurait pris en charge? Qui t'aurait caché en attendant de filer? Est-ce qu'on ne t'aurait pas découvert à la première fouille? Cela ressemblait à un coup de tête désespéré.

J'attends le moment propice pour cogner à la cloison. Daniel aussi doit être impatient de donner ses impressions. En attendant, j'ai repris ma ronde interminable. Un, deux, trois, criss! Un, deux, trois, la porte! Un, deux, trois, la lucarne! Un, deux, trois, le bat-flanc! Mais cette fois, je ne suis plus seul.

III

Une exclamation étouffée court de cellule en cellule : le ravitaillement! Je me précipite sur mon
bat-flanc et grimpe à la lucarne. En effet, de l'autre
côté des barbelés, dans le camp, une curieuse
procession se dirige vers nous, ou plus exactement
vers les latrines judicieusement placées à proximité
de la prison.

Derrière une tonne tirée par un cheval étique,
s'avance à l'allure étudiée d'un film documentaire
qui ne ménage pas ses effets de ralenti, la corvée
de vidange flanquée de l'inévitable *wachmann* et
de son inséparable canne à pêche.

Je sais par Daniel que les *gefangen* de la
baraque disciplinaire, à qui incombent toutes les
basses besognes, profitent de cette occasion pour
nous faire parvenir quelques biscuits et cigarettes

qu'ils prélèvent sur leurs maigres ressources.

Dès qu'ils ont vidé la première tinette et que se répand dans l'air une puanteur intolérable, ils chantent pour se donner du cœur et pour nous prévenir le refrain attendu :

« *O merde, merde divine!*
« *Toi seule a des appas.*
« *Si la rose a des épines,*
« *Toi merde, tu n'en as pas.* »

Le *wachmann* incommodé par l'odeur s'est retiré derrière les latrines à l'abri du vent. Quant à notre *posten*, il a battu en retraite de l'autre côté des bâtiments de la prison en portant ostensiblement son mouchoir à son nez et en jetant moult *schweineries* indignés.

Le champ est libre. C'est le moment que choisit l'un des prisonniers de la corvée pour s'approcher négligemment des barbelés dans l'intention apparemment évidente de satisfaire un besoin naturel.

Aussitôt, une corde composée de ceintures, de lacets et de mouchoirs attachés bout à bout est lancée de la première lucarne contre les barbelés. Le camarade s'accroupit et accroche rapidement un paquet qu'il a extirpé de dessous sa capote. Pfit! Le temps d'un éclair, le colis a bondi jusqu'à la lucarne. Et d'un!

L'opération est répétée plusieurs fois jusqu'à ce que tous les paquets soient passés. Les colis vont ensuite de cellule en cellule par le moyen de la corde qu'on lance d'une fenêtre à l'autre en balançant le paquet jusqu'à la hauteur voulue.

Après avoir savouré longuement dans une mastication savante deux ou trois biscuits, on allume une cigarette avec mille précautions pour ne pas gâcher la précieuse allumette. Ah! cette première cigarette fumée le dos appuyé contre la porte pour masquer le judas! Jamais elle ne m'a paru aussi importante. Indépendamment de la promesse des délices euphoriques du tabac, il y a dans cet acte de fumer la réminiscence de notre liberté perdue, l'action volontaire d'insoumission.

J'imagine, dans la prison, toutes les cigarettes allumées en même temps, éclairant les mêmes visages graves, et une indicible émotion m'étreint, cette fierté de devoir cela à des camarades insoumis, réfractaires, évadés comme moi.

Avec le ravitaillement, un souffle d'air frais s'est glissé dans nos cellules : les Russes résistent devant Stalingrad! Le petit chuchotement cueilli au vol, s'enfle, s'arrondit, se gonfle de tout ce que notre imagination avide lui apporte. Pardi! C'est pour ça que les gardiens sont de plus en plus vaches. Ils vont être expédiés en Russie. Et nous?

Eh bien nous, on aura plus de facilité à mettre les bouts!

Mais entre Daniel et moi, les confidences à voix basse sont d'un autre ordre. J'ai remarqué très vite son désintéressement pour tout ce qui ne le touche pas immédiatement. Ainsi le sort du monde le laisse indifférent s'il n'en subit pas à l'instant les répercussions directes. Il balaye invariablement toutes les nouvelles qui n'ont pas de consistance:

— Des bouteillons tout ça! Raconte-moi une histoire plutôt.

Il n'abandonne sa réserve que pour écouter mes souvenirs, surtout lorsqu'ils sont colorés d'exotisme. Son appétit alors devient insatiable. Il lui arrive de me demander deux ou trois fois la même histoire:

— Raconte-moi ta virée au bordel de Marrakech.

Et, comme je feins de ne plus me rappeler:

— Laquelle?

— Tu sais bien, l'histoire du couteau?

C'est parce que j'attribuais cet intérêt à un goût marqué pour l'aventure que je lui avais proposé de s'évader avec moi. Je pensais que cette idée l'aurait enchanté. Il m'a répondu par un rire.

A la réflexion, je comprends que cette proposition ne l'enthousiasme pas. Dans notre esprit en général, s'évader c'est tenter de rejoindre la Fran-

54

ce. Pour lui cela signifie retourner à sa condition de pupille de l'Assistance Publique, qu'un coup de tête a voué à jamais aux maisons de rééducation et aux établissements surveillés. On comprend ses réticences.

La captivité a pour lui cet avantage paradoxal de le libérer d'un coup de sa condition. Parmi nous, il est un prisonnier comme les autres. Ici toutes les nuances sociales disparaissent. Seule compte la valeur individuelle de chacun.

Ma proposition a même dû l'inquiéter. Il doit sentir combien sa situation actuelle est précaire, combien sa *liberté* est menacée, et comme il devra redoubler de vigilance pour ne pas se laisser entraîner.

Aussi ne suis-je pas peu surpris, ce même soir, de l'entendre m'annoncer à brûle-pourpoint de sa voix toujours calme, comme s'il s'agissait d'une chose sans importance :

— Alors d'accord pour faire la malle ensemble.

Je n'en reviens pas et j'ai de la peine à cacher mon étonnement. Attendait-il de me connaître avant de s'engager ?

Cependant, je m'aperçois vite que s'il a pris son temps pour me donner son accord ce n'était pas pour supputer les chances de réussite. Il ne me pose aucune question sur mes projets. Et quand par hasard je lui en parle, il ne s'y intéresse pas.

En cette matière, il en est toujours aux connaissances les plus élémentaires et croit encore aux longues marches nocturnes, le regard levé vers les étoiles. Ma théorie sur l'évasion éclair qui vous conduit d'un trait en France ne mord pas. Je lui explique :

— Il y a un train de permissionnaires qui part tous les soirs de Munich. Le lendemain, tu es à Paris.

Il s'esclaffe :

— Et tu as la prétention de passer inaperçu dans un train bourré de soldats?

Je me demande s'il est tellement prêt à abandonner le rêve pour l'action.

Sur le morceau de papier qui enveloppait mon paquet, je me suis amusé à crayonner au hasard, laissant libre cours à ma fantaisie. Quelle joie de pouvoir tracer ces esquisses de rêve! Mon crayon minuscule que je ronge de temps en temps pour faire réapparaître la mine s'affaire nerveusement. Voici une île lointaine qui surgit d'une mer étale. Les palmes hautes se balancent sur un ciel pur et la ligne qui partage l'horizon s'étire imperceptiblement vers l'infini.

Là, c'est une demeure rustique qui apparaît à coups de traits rapides au fond d'une allée entre les broussailles grises des arbres et, presque malgré moi, se profilent les deux vieilles tours du manoir de La Grange.

Cent fois je me suis essayé au même coup de crayon, et soudain le profil s'anime, le sourire s'étire légèrement, et l'on devine, prêtes à mordre, les petites dents de loup. Le regard se cabre sous le front têtu. Un trait court, volontairement plus noir, à l'attache du nez, marque le caractère frondeur et irrésistiblement volontaire. Je ne l'ai aperçu que quelques secondes et je ne suis pas certain que le portrait soit vraiment ressemblant. Je lui fais passer le papier par la lucarne et j'entends distinctement un long sifflement d'admiration :

— Dis donc, tu dessines drôlement bien!

Puis, plus rien. Il examine sans doute mes croquis un à un, et se laisse gagner par la rêverie. Il ne se lasse pas d'écouter le récit de mes aventures. Il doit aimer ces paysages qui suggèrent des voyages lointains. Nous ferons la malle ensemble! Pour lui, je représente probablement l'aventure et les grands espaces. En lui demandant de s'évader avec moi quelle promesse implicitement lui ai-je faite! Et comment la tenir?

Un raclement contre le mur m'avertit qu'il veut me parler. C'est le papier qu'il me retourne.

— Dis donc! Tu ne pourrais pas me dessiner

une belle poule, complètement à poil, avec tout quoi?

Et, comme je ne réponds pas, il s'inquiète:

— Tu dois me prendre pour une cloche, hein?

Au camp disciplinaire de Müsingen, j'avais été sollicité par un *gefreiter* qui affichait un goût marqué pour l'érotisme et qui, me voyant crayonner, m'avait demandé de lui faire des croquis suggestifs:

— *Schœne madame, oui? Mit mann, alle Zusammen, compris?*

Je l'avais d'abord envoyé promener. Mais le régime là-bas était particulièrement sévère, et la pitance plutôt maigre. Comme il revenait à la charge, je lui fis connaître mes conditions: un quart de *Brot* par croquis. Il accepta. Il devait les revendre et trouver de nombreux amateurs, à en juger les commandes.

Bientôt, je pus ravitailler toute la chambrée, et ce gagne-pain inattendu devint une industrie florissante. Il fallut s'organiser. A peine rentrés des chantiers, on se mettait au travail malgré la lourde fatigue de la journée. Le *gefreiter* m'approvisionnait en papier et pastels. Les camarades m'aidaient de leur mieux, chacun selon ses dispositions. Les uns découpaient le papier, d'autres taillaient les crayons, les plus habiles calquaient les esquisses et nuançaient les ombres.

Quand enfin je m'allongeais sur ma paillasse, je plongeais dans un sommeil peuplé de cauchemars étranges où il m'arrivait de dévorer à belles dents toute une charcuterie de cuisses grassouillettes et de fesses potelées.

Est-ce que je me suis trompé sur Daniel? Comme je ne réponds pas, il a son petit rire de crécelle rouillée:

— Si tu ne sais pas comment c'est fait une poule à poil, laisse tomber!

J'ai repris le papier et je m'efforce, par des lignes amenuisées, de créer une forme pure. Vingt fois je recommence l'esquisse. Je voudrais tant donner l'impression d'une fleur sauvage qui vient d'éclore sur sa tige fragile. Enfin la voici dans sa pâle nudité, toute frêle, toute menue, prenant la pose attendue de la nymphe effarouchée, les mains croisées sur la poitrine, la chevelure torsadée tombant sur une épaule, l'ovale du visage délicieusement incliné avec une amorce de l'œil en amande, les paupières pudiquement baissées.

Cette fois, il ne me dit rien. Il faut attendre le soir, l'heure des confidences à la lucarne.

— Ça existe en vrai des filles comme ça?

— Bien sûr!

— Tu en as connu?

— Oui.

— Et l'amour?

— L'amour?

— L'amour comme c'est écrit dans les bouquins. Ça existe?

— Evidemment.

— Ça t'est arrivé à toi?

— Oui.

— Tu ne m'en as jamais parlé.

— Parce que... parce que ces choses-là ne se racontent pas.

L'air est presque tiède. Dans le ciel pâli par la lune, des écharpes de nuages s'étirent et s'effilochent sous le souffle d'un vent violent qui doit passer très haut car à la lucarne, c'est à peine si on sent l'haleine humide de la forêt. Le printemps s'annonce par je ne sais quelle impression de paix sereine, de joie confuse, d'espoir insensé.

Dans le camp, les baraques sommeillent, serrées les unes contre les autres comme de gros pachydermes dans une prairie. Je pense à tous ces hommes entassés dans chaque baraque, à tous ces corps allongés, superposés, sériés, empaquetés par blocs, à toute cette chair inerte et cependant vivante, à tout ce bétail docile, agité pourtant de rêves et d'espoir.

Et je me surprends à envier leur sort, à regretter

la chaleur animale de cette épaisse promiscuité, à souhaiter bientôt mon retour parmi eux. Je songe à tous ces riens qui rendent la vie possible: l'échange de cigarettes, une conversation à bâtons rompus, une partie de cartes, le livre qu'on lit, épaule contre épaule, accoudés à la même planche étroite qui sert de table.

Est-ce l'heure qui veut cela? Le crépuscule, le moment où la solitude pèse le plus. Les murs de la cellule semblent se resserrer davantage. Les prisonniers inquiets, incapables de trouver le sommeil, s'accrochent aux barreaux et échangent à voix basse les mêmes propos, les sempiternelles rengaines.

Soudain un bruit inattendu me parvient de loin, de très loin: la modulation caractéristique d'un sifflet de locomotive. Je tends l'oreille, vais-je entendre encore ce lointain signal? Le vent haut apporte, très distinct, le ferraillement scandé du train qui roule au loin dans la plaine.

Je me retourne sur ma planche. Voici les trains qui hantaient les longues nuits de mes vacances à La Grange, et la boule amère que je connais bien me remonte à la gorge. Chaque soir, je cochais mon calendrier de poche et comptais les jours qui me séparaient de la rentrée. Et quand je voyais Maroux plier mon linge dans la grande malle d'osier, je ne pouvais plus cacher ma joie.

O trains de mon enfance, je vous ai fuis comme une pensée malsaine et voici que vous me poursui-vez de votre remords lancinant!

Allons, il faut dormir. Je n'arrive pas à trouver la position propice. Tous les os me font mal. Essayons sur le dos, en calant les reins avec ma veste, les jambes repliées, cela me réussit quelque-fois. Effectivement, c'est presque supportable et au bout d'un instant je me sens gagné par un déli-cieux engourdissement.

Ah! ce moment très proche de l'enlisement dans le sommeil, ce temps immobile avant la poussée vertigineuse dans l'inconscient, cet envol extraordi-naire dans le monde inconnu des choses percepti-bles! La mort doit être une ascension semblable, cette aspiration moléculaire vers le vide.

Puisque nous n'avons pas de meilleure compa-raison que cet anéantissement dans le sommeil, cet engourdissement momentané mais complet de no-tre conscience, ce vide noir que nous recherchons quand nous sommes fatigués de notre journée en nous souhaitant une longue nuit, une très longue nuit, pourquoi donc craindre la mort?

IV

— Aufstehen! Alles Heraus! Schnell Mensch!

Ce rassemblement inattendu dans le couloir de la prison, les portes grandes ouvertes, ce jaillissement de *wachmanns* qui nous bousculent à grands coups de gueule, l'air ahuri des camarades qui n'en reviennent pas, tout prend la consistance d'un rêve insolite, tellement étrange et inhabituel que je ne tente aucun effort pour me réveiller, curieux de savoir comment tout cela va tourner.

Daniel est évidemment à mes côtés et lève vers moi un regard interrogateur avec une étincelle joyeuse au coin de l'œil. Il me souffle dans l'oreille :

— Qu'est-ce qui se passe? Ils sont fous!

Habituellement, après avoir purgé sa peine de prison, l'évadé est conduit à la baraque disciplinaire où il attendra son transfert dans un camp de travail de force. Cette fois la procédure est changée. Que signifie cette levée d'écrou en masse?

Pas question d'interroger les gardiens. Leur hargne nous avertit qu'il est plus prudent de s'en abstenir. Cependant, les opérations rituelles : douche, désinfection, fouille, font naître en nous l'immense espoir d'une réintégration dans le stalag.

On revoit également notre habillement et je suis obligé de troquer mon superbe costume civil taillé dans une capote et teint au permanganate contre une tenue militaire d'inspiration internationale : pantalon belge, veste serbe, calot français, le tout copieusement marqué des initiales K.G. Par contre, j'ai pu récupérer mes précieuses chaussures truquées, ne voulant à aucun prix de la paire de sabots dont un garde-mites voulait m'affubler.

Et notre groupe, étroitement encadré, entre dans le camp. On nous fait suivre l'allée centrale pour nous conduire sans doute à la baraque disciplinaire. Il semble que des consignes sévères aient été données. A notre passage, les prisonniers du stalag, ceux que nous appelons plaisamment « les petits bourgeois », réintègrent prudemment leurs pénates et si d'aventure quelque intrépide essaye de nous parler, il déchaîne chez nos gardiens un tel concert de vociférations qu'il doit battre en retraite et se contenter de nous regarder de loin.

On nous arrête devant les barbelés qui ceignent la baraque disciplinaire et là, on nous fait passer un par un par l'étroite chicane en nous comptant à plusieurs reprises.

Les camarades, bouclés à l'intérieur, écrasent leurs visages aux barreaux des fenêtres et, quand nous entrons, une explosion de joie nous accueille :

— Salut les gars!... Tu parles d'un renfort!... Plus on est de fous, plus on rigole!... Ne vous précipitez pas, il y en aura pour tout le monde!... Par ici les bleus, suivez le guide!

On nous indique les places libres dans les blocs. Il y en a peu. On nous installe. Un grand gaillard réclame le silence et aussitôt, sur un geste impératif de chef d'orchestre, jaillit de toutes les bouches une cantate primesautière :

> « *L'auront dans l'cul,*
> « *L'auront dans l'cul,*
> « *L'auront dans l'cul...* »

La même phrase répétée dans des intonations différentes, savamment graduées et orchestrées à plusieurs voix est d'un effet artistique très réussi. Il paraît que cela plaisait beaucoup au *Sonder-Führer* qui réclamait chaque soir avant le couvre-feu :

— *Also, singen sie die Oratorio!*

Jusqu'au jour où un *Gefreiter* qui avait fait de la plonge à Paris vint tout gâcher en lui faisant des paroles une traduction par trop littérale.

Surpris par cette joyeuse animation, nous nous laissons faire, un peu ahuris, comme ces touristes étrangers qui tombent dans une fête folklorique.

J'ai une place de choix dans le premier bloc, face à l'entrée, troisième étage. Cette place, délaissée parce que trop en vue quand le *Sonder* entre chercher son contingent de corvées, offre en compensation l'avantage inestimable de dominer d'un seul coup d'œil le carré central où se concrétise toute l'activité de la baraque.

Dans cet espace libre, sont disposées deux par deux les quatre grandes tables autour desquelles on se réunit pour manger, lire ou jouer aux cartes. Le dimanche matin on y célèbre la messe après avoir rangé les bancs comme à l'église et dressé un autel avec une croix de fortune. Le soir, les tables sont réunies en tréteaux improvisés et cela devient une salle de concert. De ma paillasse, je domine le spectacle comme d'un fauteuil de balcon première série.

Daniel est connu de tout le monde. On se presse autour de lui, on l'interroge. Il répond avec son flegme habituel et me présente à ses meilleurs amis sans d'autres commentaires que :

— Jo, un vieux copain.

Après le long silence de la cellule, cette multitude bruyante étourdit un peu. Mais quel plaisir de
revoir enfin des visages, d'entendre parler, rire, de
sortir de soi. Ce qui importe, c'est de n'être pas
seul. Même dans la promiscuité de cette baraque
inconfortable et surpeuplée, la chaleur humaine est
un alcool efficient, et cette ruche bourdonnante
vous plonge dans une sorte d'euphorie ouatée, très
proche de l'ivresse.

Je savoure cette délicieuse oisiveté, allongé sur
mon cadre en bois au troisième étage, dans une
douce béatitude enrobée de fumées et de rêves. De
temps en temps, je vois surgir la tête ébouriffée de
Daniel :

— Qu'est-ce que tu fous?

— Rien.

— Ma parole, tu es cloué sur ta paillasse!...
Viens faire un poker! Ça ne te dit rien?

— Non.

— On peut jouer au bridge si tu veux?

— Non.

— Alors va te faire voir!

Mais il reste tout de même et s'assied près de
moi, jambes pendantes, ne sachant s'il doit parler
ou m'abandonner à ma méditation.

J'aime assez sa façon de me regarder en fronçant le sourcil pour essayer de deviner ma pensée. Il écarte les mèches de son front en les rejetant en arrière d'un geste rapide de la main, les doigts ouverts en dents de peigne.

— Tu préfères qu'on cause?

Je lui ai tendu mon paquet de cigarettes. Mais aussitôt il sort le sien :

— Non, c'est moi.

— Mais non voyons, prends.

— Non.

Et il faut que je remette le paquet dans ma poche, que je prenne une cigarette à lui, que j'attende à demi soulevé sur le côté dans une position incommode, car ma tête touche le plafond, la flamme de son briquet qu'il ne réussit à allumer qu'après une longue lutte sournoise émaillée de jurons. Son regard enfin triomphant m'observe à la dérobée :

— Tu ne me demandes pas comment je l'ai eu?

— ! ! !

— On me l'a donné.

Et comme je ne dis toujours rien, il insiste :

— Tu ne me demandes pas qui me l'a donné?

J'ai un geste d'ignorance. Alors il m'annonce fièrement :

— Bernard!

Aussitôt son regard interroge le mien avidement. Mais je ne bronche pas.

— Pourquoi tu n'aimes pas Bernard?

Je ne puis m'empêcher de sourire. De tous ses amis, Bernard est certainement celui qui m'est le plus sympathique. Son dynamisme, son enthousiasme, son humour, ses dons multiples en font une personnalité très attachante. Il est parmi nous l'élément le plus marquant, celui qui donne le ton. On lui doit beaucoup. Cette gaîté de bon aloi, ce moral excellent, cet esprit enthousiaste qui animent tout le monde, tout cela est un peu son œuvre.

Quand Daniel m'a présenté à lui de la façon la plus inattendue:

— C'est un peintre. Il peut dessiner tout ce que tu veux.

Bernard a aussitôt songer au parti qu'il pourrait en tirer:

— J'aurai peut-être besoin de toi pour mes décors.

Car Bernard est l'animateur du concert hebdomadaire qui, compte tenu du dépouillement et des conditions précaires dans lesquels nous vivons, est chaque fois une réussite.

Toute la semaine, on le voit comploter à voix basse entre les blocs avec deux ou trois partenaires. On assiste à des apartés des plus baroques dont on feint de se désintéresser discrètement, préférant garder pour la bonne bouche, le dimanche soir, la primeur du spectacle avec tout l'effet de surprise.

On peut dire qu'il est aidé par tout le monde. Tous apportent plus ou moins leur collaboration au concert, depuis la grande vedette, l'affriolante prima donna Gaby, tellement versée dans les rôles féminins qu'il ne nous vient pas à l'esprit de la désigner autrement que par *elle*, jusqu'au brave toubib, toujours mis à contribution pour ramener ficelle, papier, carton et accessoires indispensables au théâtre.

Le concert est monté sous forme de revue où les tableaux les plus variés se succèdent à un rythme rapide dans un enchaînement toujours drôle. Au jongleur fait suite une farce grivoise suivie par un ténor qui détaille des airs d'opéra avec l'accompagnement orchestral d'un accordéon poussif, le tout coupé de chansons à la mode et d'histoires salées. Enfin le clou : l'impromptu, le drame ou la comédie qui met en valeur les divers aspects du talent de notre incomparable Gaby.

A la fin de chaque concert, Bernard ne manque pas de hisser les couleurs en chantant d'une voix généreuse, la main sur le cœur, notre chant patriotique repris en chœur par toute la salle enthousiaste :

« *Dans l'cul, dans l'cul,*
« *Ils auront la victoire!*
« *Ils ont perdu*
« *Toute espérance de gloire.*
« *Ils sont foutus*
« *Et le monde en allégre-è-è-è-esse*
« *Répète avec joie sans ce-è-è-è-sse :*
« *Ils l'ont dans l'cul, dans l'cul!* »

Tout en jouant avec son nouveau briquet, Daniel laisse tomber négligemment :

— Bernard m'a demandé si je voulais jouer dans sa pièce un rôle de fille. Qu'est-ce que tu en penses?

Je souris et aussitôt il se cabre :

— Pourquoi tu te marres?

— Pourquoi tu me demandes mon avis? Tu es libre de faire ce qu'il te plaît.

— Bon, ça va! Si ça t'embête, je lui dirai non et voilà tout.

Il s'installe sur ma paillasse, pose sa tête sur ma cuisse, allonge ses jambes. Le regard au plafond, il fume silencieusement.

A l'étage au-dessous ça complote ferme :

— Je la connais ta filière d'Ebling, c'est de la connerie!

— Comment?... Vergnaud a bien réussi!

— Vergnaud, Vergnaud, on ne sait rien. On n'a pas encore reçu de ses nouvelles.

— Tu préfères de tirer à pinces et faire six cents bornes pour finalement te faire gauler à la frontière?

— Il y a les omnibus.

— Les omnibus! Tu me fais rire tiens!

Daniel se retourne pour me voir et son menton appuyé sur le muscle de ma cuisse me fait mal. Mais je ne bronche pas. J'ai appris à ménager sa susceptibilité.

— Tu as toujours l'intention de te barrer?

— Bien sûr!

— D'ici?

— On verra.

Nouvelle bouffée de fumée et il dit lentement en regardant le plafond :

— On ne pourrait pas mettre Bernard dans le coup?

Comme tout cela est plaisant! Après l'aride désert de la cellule, quelle oasis!

Pourtant il circule des nouvelles peu rassurantes. Les évadés récidivistes seraient groupés pour être déportés dans un camp de représailles en Pologne disent les uns, dans une forteresse en Ukraine affirment les autres. Nous sommes tellement habitués à toutes sortes de nouvelles que ce bouteillon ne nous inquiète pas outre mesure.

Cependant beaucoup pensent qu'il est prudent de prendre ses précautions et d'essayer, pendant qu'il est encore temps, de brûler la politesse à nos gardiens.

C'est pourquoi dès que les portes sont bouclées après le couvre-feu et lorsque les visites intempestives ne sont plus à craindre, il règne dans la baraque une activité fébrile.

Des cachettes dissimulées dans le plafond ou le plancher, sont extirpés les paquets les plus hétéroclites, et de tous côtés on taille des costumes civils dans des couvertures, on confectionne des sacs tyroliens, on calque des cartes routières, on fabrique des boussoles.

Pour ma part, j'ai déjà fait transformer par un « *fashionable tailor* » ma tunique de 2e classe serbe en veste de costume sport, et je n'attends plus que quelques pastilles de permanganate que doit m'apporter le Toubib pour compléter l'illusion par une teinture violine qui doit donner à ma veste des tons réséda très à la mode.

Brave docteur! Il est le seul à pouvoir sortir de la baraque sans être accompagné pour se rendre à l'infirmerie du camp et ce privilège lui vaut l'honneur d'être chargé par nous tous des commissions les plus invraisemblables dont il s'acquitte d'ailleurs toujours de bonne grâce.

Chaque fois que nous le voyons revenir complètement déformé sous sa capote, tant il cache des paquets insolites, nous nous demandons par quel subterfuge il a pu passer sans encombre à la fouille.

— Tu sais Lesvain c'est un type! m'affirme Daniel dont l'opinion est toujours catégorique.

J'ai appris qu'il avait fait beaucoup de bien dans un kommando très dur en facilitant les évasions au risque de se perdre, ce qui n'a pas manqué, d'ailleurs, une âme charitable ayant jugé à propos de le dénoncer. Il se trouve dans tous les camps, hélas! de ces êtres à la solde de la gestapo, prêts à vendre père et mère pour tirer profit de leur délation.

Lesvain prévenu à temps avait pu s'évader. Repris, il avait de nouveau brûlé la politesse à ses gardiens, ayant pris goût à la chose. C'est ce qui lui vaut de partager notre sort et d'être promu au rang d'infirmier. Il ne s'en plaint pas et ne songe nullement à se réclamer de ses prérogatives de docteur, peut-être avec l'idée derrière la tête de s'évader de nouveau mais aussi parce qu'il se plaît en notre compagnie.

J'aime ce grand gaillard au regard clair, au sourire amusé, à la voix douce. Il grimpe souvent sur

mon perchoir en s'annonçant par l'apostrophe fami-
lière qu'il a héritée de Daniel :

— Alors Jo ?

Puis il s'installe près de moi, le nez au-dessus
de la planche, et regarde comme d'un balcon ce
qui se passe en bas.

— Chaque homme, vu d'un peu haut, prend
dans ses moindres gestes l'importance d'un personnage de théâtre. C'est curieux d'ailleurs comme
les gestes de chaque individu sont limités et
comme ils se répètent souvent. Regarde!

En effet, rapidement exercé à l'observation, on
peut, au bout de quelque temps, les prévoir à
l'avance. Par exemple celui-là qui prépare sa gamelle avant même que les hommes de corvée de
soupe soient partis et qui prend la première place
au coin de la table où a lieu la distribution, surveil-
lant anxieusement la porte avec une ombre de détresse dans le regard quand d'autres camarades se
placent devant lui, on sait qu'il va à tout instant
récurer sa gamelle d'un même mouvement de la
main méticuleuse et entêtée.

Cet autre, toujours en quête de renseignements,
qui s'approche en tendant l'oreille, attentif à tous
propos et qui fait inlassablement une amorce de
repli en biais comme si cela ne l'intéressait pas, on
peut prévoir qu'il va revenir invariablement tendre

de nouveau l'oreille avec le même pas de côté.

Celui-ci a un autre tic. Il aime parler. Tous les sujets lui sont bons. Peu lui importe l'auditoire. L'essentiel est de parler. Il a une voix métallique avec des nuances graves, et chaque fois qu'il réussit une belle période, il jette un coup d'œil alentour pour voir si c'est apprécié et s'il peut accrocher un auditeur supplémentaire. Ce coup d'œil est toujours le même, accompagné souvent du même mouvement de tête et de la même expression. On peut le prévoir quelques secondes à l'avance infailliblement.

— N'est-ce pas que tout cela est très intéressant? Il faut avoir vécu longtemps seul entre quatre murs pour se rendre compte combien l'homme est aimable. Tu me demandes pourquoi j'ai choisi la médecine? Mais voici la réponse, mon vieux: de tout ce qui nous entoure, l'homme est ce qui m'intéresse le plus.

Quelquefois Bernard se joint à nous. C'est un être extraordinaire et souvent déconcertant. On le croirait préoccupé uniquement de théâtre et le voici discutant véhémentement avec l'abbé Auboin, autre figure intéressante de notre baraque, sur la Somme Théologique de Saint Thomas.

Cet avocat cynique qui aime raconter des histoires épouvantables fleurant quelque peu le sadisme, bondit dès qu'il entend le mot *France*, prêt à chanter la Marseillaise de sa voix tonitruante.

Il affirme que seul l'immédiat l'intéresse, qu'il est un homme d'action, qu'il n'aime pas les philosophes ni tous ceux qui font profession de penser, et pourtant certaines de ses réflexions nous laissent entrevoir une pensée profonde, délicate et tourmentée.

— Quand je songe à tout ce que renferme de solitude cette pauvre peau humaine, j'en frémis! Sais-tu que mon plus grand désir est de réussir à m'évader non seulement d'ici mais de moi-même?

Je tressaille et vivement intéressé je me tourne vers lui:

— Comment ça?

— Eh bien! je voudrais disparaître sans laisser de traces. Rentrer dans le néant. N'être plus qu'un mort en somme, parti sans laisser d'adresse, et rompre ainsi les liens qui nous unissent à cette chaîne épouvantable d'ancêtres dont on ne peut se défaire. Ainsi je pourrai renaître à nouveau avec devant moi une vie nouvelle. Tout à réinventer et pas de passé qui vous impose l'avenir.

Je dois avoir le rouge qui me monte au visage et, pour cacher mon désarroi, je plonge ma tête dans mes bras, faisant semblant de me désintéresser de la conversation. Cette similitude de pensée est extraordinaire. Ainsi donc je ne suis pas un être exceptionnel? D'autres ont les mêmes idées que moi?

Le Toubib qui aime les précisions mathématiques s'ébroue et souffle:

— Je ne comprends pas.

— C'est très simple, explique Bernard. Si je rentre chez moi, je suis obligé de reprendre les choses où elles sont restées. Je retrouve ma femme, un passé, une raison de vivre mais une seule. Autrement dit, je renoue. Je n'invente rien. Je n'apporte rien de moi-même. Il suffit que je sois dans l'ordre, dans la norme, celui qu'on attendait, mais rien d'inattendu. On ne me demande rien d'autre. Je ne peux être rien d'autre.

« Si, au contraire, je disparais ou si je laisse entendre que j'ai disparu, à l'occasion d'une évasion par exemple par une habile transposition d'identité — en temps de guerre, ce sont là choses faciles — quelle extraordinaire possibilité! Je suis un être neuf, sans famille, sans passé, sans attache, libre de moi, libre de mon avenir. N'est-ce pas merveilleux?

Je comprends maintenant pourquoi Daniel est son ami, cette plante sans famille, cette herbe née du vent. Je comprends aussi pourquoi je me suis attaché à cet enfant. N'avons-nous pas trouvé concrétisé en lui le rêve que nous n'osions pas nous avouer l'un et l'autre? Je voudrais dire à Bernard combien je suis semblable à lui, combien je suis tourmenté aussi par le désir de cette évasion, et pourtant un reste de pudeur me retient. Maintenant que je sais n'être plus seul hanté par cette idée, je me sens un peu honteux comme si j'étais obsédé par une fièvre malsaine.

Lesvain lui s'en tient aux idées concrètes. Posément, il interroge:

— Et que feras-tu de cette vie nouvelle?

— Je ne sais pas encore. Peut-être rien. Il n'est pas nécessaire de faire quelque chose. Ce qui importe, c'est d'être disponible, disponible pour toutes les folies possibles à réaliser.

« Je ne suis pas encore habitué à cette vie. Je n'en finis pas encore de m'émerveiller. Je ne suis pas encore blasé, je ne suis pas encore fatigué de vivre.

« C'est terrible d'être sur cette planète avec une chaîne qui vous tient à l'entrave sans qu'il soit possible d'essayer de réaliser ce qui semble irréalisable.

Je hasarde une question:

— Selon toi, qu'est-ce qui te paraît important de réaliser?

— Important?

Il réfléchit un instant :

— Je ne sais pas ce qui est vraiment important. Je crois qu'il faut essayer de sortir de soi.

Le Toubib sourit et lui met la main à l'épaule :

— Impossible mon vieux! L'homme est un éternel captif qui cherche à s'évader de sa condition. Parfois comme ce voyageur des sables, il court après quelque mirage, mais il ne peut sortir de son cercle de feu.

Les idées de Bernard qui sommeillaient au plus profond de moi-même ont pris une fois exprimées une résonance toute différente. Je suis un peu gêné par cet aveu brutal et je ne discerne plus très bien le vrai en tout cela. Comment s'y reconnaître? Je ne me sens pas le cynisme de Bernard et pourtant mes intentions étaient singulièrement identiques aux siennes.

Pour comble de mon désarroi, voici une lettre d'Annick qui me parvient par on ne sait quel miracle. J'étais sans nouvelle de ma famille depuis six mois et depuis mon évasion je n'avais pas donné signe de vie.

A l'appel de mon nom, je tressaille. Mais avant même que je saute de mon perchoir, Daniel saisit ma lettre au vol d'une main preste et le voici qui émerge au-dessus de ma paillasse, les yeux exorbités :

— Eh bien! dis donc! Georges de Bray de La Grange Villeroy! Tu ne m'avais pas dit que tu avais un nom à charnières!

Annick, dans sa crainte de ne pas me joindre, a calligraphié mon nom sans omettre une particule. J'écarte Daniel d'un geste. J'ai besoin d'être seul.

Mais oui, mais oui, je suis ému. Cette page écrite d'une écriture serrée, la plus serrée possible pour ne pas perdre un seul millimètre des lignes autorisées, me fait monter le sang au visage. Annick!

La lettre a été postée à La Grange. Il me semble voir Annick dans le petit bureau du premier devant la page à écrire, attentive à ne rien omettre de tout ce qu'elle doit me dire.

Et j'apprends que ce n'est pas trop dur, qu'*on s'arrange* avec l'élevage, que mon père s'occupe de la ferme, qu'on est séparé de Paris, que Jo commence à lire et que tous les soirs il dit une prière pour que son papa revienne vite. Ainsi donc la vie continue là-bas?

Pauvre petite lettre et pauvre petite écriture! Comme il faut peu de chose pour que tout soit bouleversé! Les bois de La Grange en cette saison ont une odeur intime. O comme je voudrais remonter l'allée des ormes!

Le facteur pose sa bicyclette, une pédale calée

contre la première marche du perron. A cette heure de l'après-midi le soleil oblique allonge l'ombre des arbres sur le sol. A sa rencontre, voici le bondissement de cette petite balle élastique : Annick qui s'arrête brutalement puis remonte, les deux bras abandonnés. O Annick, comme je voudrais mettre mon amour dans ces petites mains ouvertes et désemparées!

Je me suis retourné sur ma paillasse avec un ahan! de lutteur à bout de force, et la tête enfouie dans mes bras repliés, les lèvres contre le papier glacé de la lettre, j'essaie de refouler au fond de moi cette marée amère qui me monte à la bouche et m'écœure. O misère!

Il me semble confusément que je goûte encore un instant de bonheur. Je m'abandonne à cette tendresse comme un naufragé se laisse porter par une pauvre épave.

Déjà le présent, ce Moloch jamais rassasié, claque ses mâchoires impitoyables :

— *Alles Heraus! Los! Los!*

Les *posten* ont fait irruption dans la baraque et nous font sortir à grands coups de crosses. Cette fois, c'est sérieux. Il ne s'agit pas de jouer à cache-cache derrière les blocs ou de rester sur son grabat en simulant une fièvre de cheval. On sent au ton et à l'impressionnant déploiement de forces qu'il s'agit là d'un rassemblement important.

Aussi les plaisanteries aujourd'hui n'ont pas cours. L'appel se fait presque rapidement. Et c'est au garde-à-vous que nous écoutons l'*Oberst* nous lire la fameuse sentence :

« Par ordre de la Lagerführung, tous les prisonniers de guerre français ayant tenté de s'évader plusieurs fois ou ayant refusé le travail ou ayant fait des actes de sabotage sont déportés dans un camp de représailles sur le front Est en zone de guerre... »

Dans le silence glacé qui suit la sentence, on entend la voix nette de Bernard :

— Vraiment, c'est nous faire trop d'honneur !

V

Le réveil est toujours pénible. Cette perception brutale des odeurs lourdes, la morsure soudain plus aiguë des muscles endoloris, la vague conscience d'une condition misérable qu'on essaie de repousser en gardant les paupières fermées le plus longtemps possible, combien il faut de courage pour surmonter tout cela et rouvrir les yeux à la réalité!

C'est l'heure morne, l'instant de brume épaisse de la journée ou de la nuit, on ne peut savoir dans cette pénombre compacte du wagon. Les corps enchevêtrés s'abandonnent à cette torpeur moite, secoués dans un même mouvement que scande le battement sourd du roulement des roues sur les rails, tandis que, suspendus au plafond, sacs, musettes, bidons, oscillent interminablement dans le même rythme.

Depuis combien de temps roulons-nous ainsi? Je ne sais. Ma gorge complètement desséchée par la soif me donne l'impression d'être engluée de plâtre. Ma tête est vide de toute substance. Dans cet état les impressions sont fugaces et ne s'imprègnent que superficiellement mêlées à des rêves confus. Tous se laissent aller à cette somnolence pour ne pas avoir à penser et pour que le temps passe.

A la fierté du départ, arrogante et tapageuse, succède maintenant une morne résignation. J'ai de la peine à reconnaître dans cette pauvre humanité brimbalante les hommes qui tout à l'heure chantaient «France Debout» en traversant le camp au pas cadencé devant une foule de camarades subjugués.

Je crois avoir senti là le prélude, le premier souffle de l'épopée. Ce chant qui venait de naître et que nous commencions à balbutier en chœur sans trop nous laisser prendre, soucieux de conserver intact notre scepticisme, ce chant prenait soudain une signification, s'élevait à la mesure des événements, devenait un hymne qui nous emportait dans un fol élan d'enthousiasme. Les voix grondaient en chantant ce refrain qui devenait pour nous un credo d'espérance:

« *France debout! France debout!*

« *N'entends-tu pas l'appel de la gloire*

« *Qui claironne partout?*

« *Tes enfants frémissent tout à coup*

« *D'un désir fou de victoires,*

« *France immortelle debout!* »

Les coups de crosses pouvaient pleuvoir, les *postens* hurler et nous menacer de leurs armes, quand le chant s'éteignait en tête de la colonne, il reprenait à l'arrière de plus belle, jusqu'au moment où le *hauptman* excédé avait avoué son impuissance :

— Puisqu'ils veulent chanter, eh bien qu'ils chantent!

Maintenant c'est l'apathie morne. Plus n'est besoin de sauver le panache. Nous sommes entre nous, et en ce moment entre nous les pensées ne sont pas gaies.

Impossible de nous faire ouvrir le wagon à bestiaux dans lequel nous sommes entassés à plus de soixante. A chaque arrêt nous cognons à la cloison en criant : *wasser! wasser!* sans autre résultat que de déclencher les cris hargneux des *postens*. Nous sommes condamnés à crever de soif.

La curiosité également s'est émoussée. Plus de groupes agglutinés comme des mouches à chaque fenêtre pour essayer de voir quelque parcelle de paysage à travers les interstices des volets. Il ne reste plus que deux ou trois incrédules, l'œil collé à la fente, cherchant à arracher à quelque nom de gare la preuve que nous roulons vers l'Ouest et non vers l'Est.

La puanteur aussi devient intolérable. La boîte de conserve que nous avions destinée à nos besoins et que nous vidions avec minutie par l'étroit interstice de la porte roulante ne suffit plus. Chacun se soulage maintenant au petit bonheur en s'approchant au plus près de la porte. Mais avec les trépidations cela ne va pas toujours se volatiliser à l'extérieur comme cela devrait, si bien qu'au problème des audeurs s'ajoute celui de la place qui devient de plus en plus exiguë à mesure que la marée avance.

J'éprouve le besoin ici d'allumer une cigarette bien que ma provision de tabac touche à sa fin. Qu'importe! Cette heure est trop lourde. Il y a longtemps que j'ai dévoré ma dernière tranche de pain et bu ma dernière gorgée d'eau. Il ne me reste plus que ces quelques brins de tabac pour tromper ma faim, ma soif et mon attente.

Allons-y! Je lance une main exploratrice vers ma poche de droite. La chose n'est pas facile car, serrés comme nous le sommes, le moindre geste se répercute en chaîne et risque de réveiller tout le wagon.

Voici enfin la petite boîte précieuse. Je tâte : une, deux, trois, quatre, cinq cigarettes. Il va m'en rester quatre. Au train où nous roulons, je ne pourrai jamais faire durer ma provision jusqu'au prochain bureau de tabac. Un moment, j'hésite. Est-ce qu'il ne serait pas plus sage d'attendre encore un peu? D'attendre quoi? Au diable l'avarice!

Allons-y! Je gratte mon allumette contre mon petit bout de frottoir et aussitôt je sens une volupté toute tiède me pénétrer délicieusement jusqu'aux plus lointains ramuscules des poumons.

L'esprit asticoté par la nicotine, tout devient plus clair. Nous sommes dans l'aventure jusqu'au cou. Eh bien! N'est-ce pas ce que j'avais souhaité? Déjà sont oubliées toutes les recommandations contenues dans cette pauvre petite lettre froissée qui crisse là dans la poche intérieure de ma vareuse. Chassons les idées sombres. Je suis libre. Mais oui, libre puisque j'ai largué les amarres, puisque ma vie ne tient plus à aucun fil, puisque je n'espère plus rien. Maintenant chaque journée, chaque heure, chaque minute est un sursis. Je dois avoir le sourire amer du marin qui, jetant un dernier regard à la poupe du navire, voit s'estomper la côte au loin derrière lui. Allons, face à la haute mer et vogue la galère!

Chaque fois que je tire sur ma cigarette, un halo de clarté rougeâtre tombe sur des visages renversés rongés de barbe, des bouches ouvertes comme des trous noirs, des jambes repliées, des godillots, des capotes, le tout agité dans une même trépidation saccadée.

Une main, doigts ouverts, a surgi de l'ombre contre ma cigarette, tandis qu'une voix rauque près de moi me souffle :

— Passe!

J'ignore quel est ce voisin mais la façon dont il pompe la fumée me remplit d'admiration et d'inquiétude à la fois. Ma pauvre cigarette en revient bougrement diminuée.

Daniel, réveillé sans doute par l'odeur du tabac, relève la tête, se passe une main sur le visage, me regarde un instant avec étonnement, puis me sourit et tend la main vers le point rouge.

Ses joues se creusent davantage sous l'avide respiration. Les orbites sont deux trous d'ombre, l'arête du nez étincelle, les narines se pincent, et on ne voit plus que la bouche gourmande qui aspire goulûment.

« *Avide jeunesse*
« *A tout asservie,*
« *Par délicatesse*

« *J'ai perdu la vie.*

« *Ah! Que le temps vienne*

« *Où les cœurs s'éprennent!* »

Cette réminiscence rimbaldienne souligne comme une légende cet étrange tableau.

La cigarette va d'une main à l'autre et son incandescence rouge qui n'a pas le temps de s'apaiser éclaire un extraordinaire ballet de papillons diaphanes.

Le wagon peu à peu sort de sa torpeur. D'autres points rouges s'allument. On se secoue, on tousse, on grogne, on jure. Les quolibets jaillissent d'un peu partout :

— Non, mais regardez-le, il s'installe comme une marquise!

— Moi, les gars, j'en ai assez, je descends à la prochaine!

— Tu demanderas au contrôleur un supplément pour couchette.

Quand soudain une interrogation précise plonge tout le wagon dans une hilarité générale :

— Qui a un couteau?

Il faut avoir passé par toutes les fouilles successives subies avant le départ où, tout nus, nous attendions que nos loques soient examinées et passées au crible par une armée de contrôleurs avertis pour apprécier tout le sel de cette question saugrenue. Mais à notre grande surprise, une petite voix répond :

— Moi. C'est pourquoi faire?

Tous, subitement intéressés, se tournent vers le héros de cette performance extraordinaire. C'est un petit maigrichon aux yeux immenses dans un visage hâve. Il explique simplement avec un sourire :

— Je me l'étais carré dans l'oigne.

Le couteau passe de main en main comme un trophée jusqu'à Herbert qui l'examine attentivement :

— Avec ça les gars, on est sauvé!

Il s'agit de faire sauter deux planches dans la paroi au fond du wagon et de profiter d'un arrêt, la nuit, pour tenter de fuir.

La proposition soulève un tohu-bohu général :

— C'est risqué!

— Comment voulez-vous sortir sans être vus?

— Il y a une sentinelle à chaque guérite.

— Oui, mais il n'y a pas une guérite à chaque wagon.

— Si, j'ai vu.

— Où ça?

— Avant d'embarquer, j'ai remarqué, c'est tous des wagons à guérite. Tu penses, je m'y connais, je suis chef de gare.

— Pourquoi on n'essayerait pas le plancher plutôt?

— Tu as vu l'épaisseur des planches?

— Moi je trouve que c'est risqué.

— Tu l'as déjà dit. Si tu préfères pourrir dans ce corbillard ambulant, à ta guise. Moi j'aime mieux crever à l'air libre.

C'est devenu un bruit familier: cri, cri, cri... On le distingue facilement parmi le vacarme métallique du wagon, le claquement scandé des essieux, le gémissement des parois, les ronflement des dormeurs ou les conversations. C'est comme une stridulation de grillon heureux, un piaillement étouffé d'oiseau qui guette sa liberté: cri, cri, cri...

Quand par hasard le crissement s'arrête, chacun retient sa respiration, attentif, impatient d'entendre de nouveau le grattement obstiné de la lame contre le bois.

Le couteau change de main avec les recommandations habituelles:

— Fais gaffe à ne pas casser la lame. Va toujours dans le même sens. Ne prends pas beaucoup de bois à la fois.

Et le chant reprend, d'abord hésitant, timide, indécis, puis de plus en plus assuré, affermi, décidé, comme un chant de liberté chanté à voix sourde par des captifs.

A ce chant d'espoir vient s'ajouter l'accompagnement d'une basse émouvante, un accord en mineur, le coup d'archet sur la corde grave, un gémissement de souffrance, une plainte d'agonie. Rousseau va de plus en plus mal, et dans ce combat contre la mort, il répond comme un lutteur par un ahanement rauque aux coups répétés que lui assène l'impitoyable maladie.

On est suspendu à ce râle. Cela devient une obsession. Et chacun dans le wagon cherche sa respiration, souffre et lutte avec lui.

Par moment, il prend son souffle et lance un flot de paroles incohérentes où revient comme un refrain : « Passe-moi la bouteille, passe-moi la bouteille ! ». D'autres phrases inintelligibles sont émaillées de mots sibyllins : « Article 320 du rôle, sommation sans frais ». C'est un percepteur et dans son délire, il doit probablement se retrouver assis à son bureau dans sa perception de province.

La nervosité grandit dans le wagon :

— Il faut faire quelque chose !

— Merde ! Ils vont nous ouvrir oui ou non ?

— Toubib, tu ne peux rien faire ?

Encore une fois, on voit surgir la grande ombre de Lesvain qui fait son numéro d'équilibriste entre les corps pour atteindre son malade. Il se penche. On entend sa voix sourde :

— Je te fais mal là…? Et là?

Tous écoutent en silence. Il semble que chacun offre ses poumons à l'auscultation. Il y a un grand temps puis la voix calme du Toubib après son raclement habituel :

— Qui a une flanelle?… Une flanelle ou du linge en laine? On va lui faire des enveloppements chauds et des enveloppements glacés alternés.

— Chauds?

— Oui. C'est très bien ça! Frotte la flanelle contre ta godasse ou n'importe quoi jusqu'à ce qu'elle soit brûlante et tu me la passes.

— Et glacés?

— C'est ta chemise? Eh bien tu pisses dessus et tu la mets à rafraîchir à l'interstice de la porte. Tu me la passeras quand elle sera bien fraîche.

On s'y met tous à tour de rôle. Le ronflement de la flanelle qu'on frotte sur la semelle cloutée de la chaussure n'est interrompu que par la proposition engageante :

— Qui a envie de pisser?

Le Toubib a deux infirmiers bénévoles. On soulève le malade, on lui enroule la flanelle autour de la poitrine, puis on le recouche avec précaution et on le recouvre d'un matelas de capotes pour maintenir la chaleur.

Quand la chemise est suffisamment fraîche, on

passe à l'enveloppement glacé, et les opérations se succèdent ainsi sans arrêt.

Il faut reconnaître que la respiration du malade est de moins en moins oppressée. La plainte aussi se fait moins déchirante, c'est comme un gémissement d'enfant qui s'assoupit.

Et quand le danger semble écarté, Bernard qui s'assoit près de moi soupire :

— Quand je pense que l'on s'est donné tant de mal pour sauver un percepteur!

Il me demande le couteau pour tailler le bois à son tour et j'avoue que je le donne à regret. Pendant un moment je n'ai pensé qu'à enlever mes fibres de bois une à une en creusant toujours plus avant. J'étais attentif à faire avancer la lame bien parallèlement à l'entaille en la poussant d'une pression continue, et chaque lamelle enlevée me procurait une joie.

Maintenant je retrouve ma bouche pâteuse, mes vertiges, cette espèce d'étau qui me serre l'estomac. Et pour oublier ces petites misères, je me rencogne dans mes vieux souvenirs comme au creux d'une couche confortable.

Les tours de La Grange s'impriment sur mes paupières fermées. Je les écarte. C'est un peu pour échapper à La Grange que je me suis engagé dans l'armée, pensant à tort qu'il suffit de changer de latitude pour se guérir de l'ennui. Mais j'ai appris bien vite qu'il n'en était rien. Au dépôt d'Afrique, cette fameuse quarantaine à laquelle vous obligent les différentes vaccinations et formalités d'incorporation, j'ai connu la plus affreuse des solitudes dans une promiscuité sordide.

Ce monde de l'armée dans lequel je pénétrais d'emblée, sans préparation, était pour moi aussi étranger que celui d'une autre planète. Jusqu'au langage même que je ne comprenais pas. Soumis à une loi inexorable dont je ne m'expliquais pas les rouages, j'avais du mal à suivre un caporal alsacien chargé de mon initiation et qui s'acharnait à m'inculquer les principes élémentaires du balayage de la chambrée ou du récurage des bouteillons à grands coups de gueule inintelligibles.

En dehors des corvées, j'étais absolument ignoré et pouvais rester sur ma paillasse dans un malaise écœurant, vide de pensées, occupé seulement à écouter obstinément les trois notes mélancoliques, inlassablement répétées, que dans une chambrée voisine un Marocain tirait de sa raïta.

Quand, enfin vacciné, immatriculé, habillé et sachant porter la main au képi, je pus sortir en ville, je subis avec succès l'épreuve décisive du légionnaire : la virée au bordel dont je devais tirer par la suite un si précieux réconfort.

Ah! ces premières ivresses de la chair et de l'alcool, cette nage sous-marine dans une mer épaisse, cet anéantissement de tout l'être au fond d'un abîme de sensations fuligineuses, comme vous avez su me préserver du désespoir!

Et passent au tréfonds de ma chair les vibrations de ces lointaines luxures.

Le Toubib m'arrache à ces souvenirs. Je lui en veux.

— Tu as vu comme je l'ai eu l'abbé? Il était déjà en train d'administrer l'extrême-onction à Rousseau.

L'abbé Auboin sourit en mastiquant toujours ses boules de papier.

— C'est son bréviaire qu'il est en train de bouffer.

— Idiot! Tiens, essaie voir. Ça trompe la faim et la soif.

Il tend une feuille de papier à cigarette.

— Tu n'es pas fou!

Le papier à cigarettes est devenu une denrée excessivement rare. J'en profite pour rouler avec des raclures de tabac trouvées au fond des poches une espèce de cigarette au goût infect que nous fumons cependant à tour de rôle avec délice. Aussitôt ma conversation prend un tour plus agréable :

— Moi, tu vois, je le préfère mariné dans de

l'huile et du vinaigre, avec du poivre, du thym, du laurier et des rondelles d'oignons.

— Ça va! ça va! Ta gueule!

— Il y en a qui ne sauront jamais apprécier les bonnes choses.

La réalité est là, rude et violente. Je ne peux plus me dérober. Mon désir de m'évader hors de ma condition, mon rêve de petit bourgeois en pantoufles, c'était bon pour hier. Quand on vit l'aventure, on ne rêve plus à elle.

Dans ce wagon sordide, c'est le sourire triste d'Annick qui me hante, ce sourire qu'elle avait pendant les dernières minutes qui précédaient notre séparation. Pressentait-elle déjà que je partais pour une si longue absence?

Ah! Ces trains dans ma vie, ces interminables départs! J'ai passé un bras autour des épaules de Daniel et imperceptiblement je l'ai serré contre moi. Il a posé sa tête sur ma poitrine et s'abandonne dans une somnolence lourde. Douce ironie du destin! Je voulais un ami, ne suis-je pas comblé?

A chaque arrêt, un souffle d'espoir s'anime à l'intérieur du wagon. On va peut-être ouvrir. Un long silence succède au ferraillement de la marche, et chacun écoute attentivement le pas de bottes sur le ballast, les cris des sentinelles, les moindres indices qui pourraient nous annoncer qu'on va ouvrir les wagons.

Mais chaque fois c'est la même déception. La nervosité monte, on cogne contre la cloison, on crie :

— *Wasser! wasser!* Ah! les salauds! Ils veulent nous faire crever!

Dehors, les *postens* hurlent :

— *Ruhe! Ruhe! Mensch!*

Et la longue, l'interminable attente devient insupportable jusqu'à ne plus vouloir souhaiter qu'une chose, c'est que le train reparte au plus vite.

Daniel dort, la tête renversée sur mon épaule. Dans la clarté diffuse du wagon, cette gorge pâle offerte en offrande à je ne sais quel holocauste me fait l'effet d'une injustice. Il y a au fond de tout homme qui souffre le sentiment confus d'une expiation. Que vient expier ici cet enfant égaré parmi les hommes?

L'abbé Auboin me dirait qu'il s'agit là d'un mystère impénétrable et qu'il faut s'en remettre à Dieu dont on ne peut connaître la pensée profonde.

Soudain un cri brutal nous fait tressaillir :

— Là! Un cadavre! Tu as vu?

On s'agite autour des fenêtres, on se presse contre la cloison pour coller un œil aux fentes et essayer de voir. Le train roule lentement et on entend par moment dans les grandes courbes, tandis que les essieux grincent, la locomotive s'époumoner.

— Tu as rêvé!

— Je te dis que non! J'ai bien vu, il était nu.

Les têtes se penchent de nouveau. On regarde. Ceux qui ne peuvent pas voir se pressent par derrière. Et soudain encore un long cri :

— Tiens, là! Regarde!

Le cadavre passe lentement sur le bord du talus. C'est un enfant entièrement nu, un bras levé, la main ouverte... Sur cette terre jaune, aride, cet enfant mort qui tend la main à notre passage!

Nous ne comprenons pas, nous ne pouvons pas comprendre. Les cadavres, c'est réservé aux champs de bataille, aux villes démantelées par la guerre. Mais là, dans cette plaine déserte, au bord d'un talus de chemin de fer, cela paraît invraisemblable.

Cet enfant mort a été jeté d'un train, d'un train qui roulait devant nous. On l'a jeté comme un objet devenu inutilisable, un objet sans emploi. Les vêtements par contre ont été récupérés, ils pouvaient être encore utilisés.

Les cris maintenant se succèdent sans arrêt. On voit passer un vieillard accroupi, le visage enfoui dans la terre, une femme échevelée, les membres entièrement disloqués, dans une pose burlesque, des enfants encore...

Nous nous regardons décontenancés. Il y a en avant de nous des trains qui roulent, des wagons comme les nôtres dans lesquels sont enfermés des femmes, des enfants, des vieillards. Ils doivent comme nous rouler depuis des jours, sans aucun ravitaillement, sans eau. Décimés par la faim, par la soif, par la maladie, ils meurent. Les plus affaiblis d'abord, les enfants, les vieillards, les femmes. Au fur et à mesure, on les jette, après avoir récupéré leurs vêtements qui peuvent encore servir.

Vers quelle destination vont ces trains, le long de cette même ligne de chemin de fer, sur cette même plaine dénudée? Quel est le terminus de ces trains de la mort? Vers quelle immense fosse commune vont-ils vider leur chargement de cadavres?

Le wagon est devenu silencieux. Chacun sent brusquement sur lui s'appesantir le poids du destin. On s'observe, on s'interroge du regard, on essaie de deviner la pensée de l'autre, on cherche chez l'autre un peu de courage, un peu d'espoir, on étouffe en soi la panique qui s'enfle. En cas de découragement, il faut résolument sortir de soi et se tourner vers les autres.

Le Toubib est penché sur son malade et continue calmement d'enrouler la flanelle. Bernard, à genoux, le couteau serré dans les deux mains, très attentif, taille la planche d'un même mouvement latéral. L'abbé Auboin, le regard au loin, mâchonne son papier avec quelque prière. Et Daniel... Daniel a le même regard toujours fixé sur moi, un regard interrogateur, incisif, inquisiteur. Pas question de s'en tirer par une boutade cette fois, le temps n'est plus à la plaisanterie, il faut jouer juste.

Il me vient à l'esprit cette constatation qui est de Claudel, je crois : « Il y a des gens qui trouvent leur place toute faite en naissant. Serrés et encastrés comme un grain de maïs dans la quenouille compacte : la religion, la famille, la patrie. »

J'étais ce grain de maïs et je me suis dépouillé de la quenouille, et me voici nu dans le vent de l'aventure, nu comme Daniel, peut-être plus encore car j'ai renoncé à l'espoir. Chaque journée, chaque heure, chaque minute est un sursis, voici ma force.

J'ai repris le couteau des mains de Bernard. L'entaille avance. Les planches sont attaquées sur presque toute l'épaisseur. L'entaille doit affleurer de l'autre côté, et il suffira le moment venu de quelques coups de lame pour faire sauter les planches. Pour l'instant, il ne reste plus qu'à continuer la saignée sur quinze ou vingt centimètres et le travail sera achevé. Si le train s'arrête cette nuit, et s'il fait suffisamment sombre, on pourrait essayer.

Je sens derrière ma nuque le regard appuyé de Daniel. Voyons, réfléchissons. Le train est arrêté. Il fait nuit. Supposons les conditions requises. Notre convoi est stationné sur une voie de garage. Alentour d'autres voies, d'autres rames de wagons. Le train s'est arrêté suffisamment tôt dans la soirée pour nous permettre de repérer le chemin de fuite alors qu'il faisait encore jour.

Bon. Passons à l'action. Les guetteurs surveillent par les fentes le mouvement des sentinelles. La nuit, les *postens* sont assoupis dans les guérites ou bien se promènent le long de la voie ou encore bavardent entre eux.

Le chemin est libre. Nous faisons sauter les planches et nous sortons par groupes de trois à intervalle de cinq minutes. Il faut glisser sur le ballast sans faire de bruit et ramper lentement jusqu'à l'abri du talus. La moindre précipitation peut être fatale. L'ordre de sortie sera tiré au sort.

Je me retourne. Le regard de Daniel est toujours fixé sur moi. Mais déjà Herbert m'a devancé. Il annonce dans un état d'extrême surexcitation :

— Ecoutez les gars, ce soir à la nuit, on peut tous foutre le camp!

Dans le silence où chacun s'efforce à suivre le cheminement de cette idée à travers le brouillard qui obnubile les cerveaux, la voix calme de Lesvain s'élève comme l'expression même de la conscience :

— Pour aller où?

Herbert, un moment décontenancé, lève ses grands bras et roule des yeux exorbités :

— Il n'est pas question d'aller quelque part, pour l'instant il s'agit de sauver sa peau. Quand il y a le feu dans la baraque, on saute par la fenêtre sans se demander où l'on va. Si on sort en masse, ils en descendront peut-être quelques-uns, mais ils ne nous auront pas tous.

— Autrement dit, c'est un sauve-qui-peut général? Tant pis pour les victimes!

— De toutes façons, nous sommes tous condamnés.

— Je ne suis pas de ton avis. Dans une situation désespérée, l'attitude des hommes compte pour beaucoup...

— Oui, c'est ça, la tête haute et les bras croisés devant le peloton d'exécution! Et après? Après tu n'es qu'un cadavre comme les autres!

Et sans plus discuter, il prend le couteau et se remet au travail.

Dans le wagon, on ne réagit presque plus. Un grand maigre, cassé en deux, essaie de vomir du vent. Il renverse la tête en arrière, prêt à défaillir, et s'essuie le visage du revers de la manche. Un autre dans son délire psalmodie sans cesse : «l'auront dans l'cul, l'auront dans l'cul, l'auront dans l'cul», ce qui permet à un Parisien de trouver dans un restant de gouaillerie le mot de la situation :

— Oui, l'auront dans l'cul, l'auront dans l'cul, en attendant c'est nous qui l'avons dans l'cul, et bien!

Le train continue de rouler dans son impitoyable indifférence, avec son tressautement joyeux sur les rails comme un train de vacances. Un train ne peut pas être criminel. Il vous conduit à travers la campagne, le long des vallées, soufflant, crachant, sifflant, tout joyeux, tout heureux de vivre. Un train ça n'est pas méchant. Il est vrai que celui-ci s'est engagé sur un chemin bizarre, à travers une plaine jaune et grise, sans arbre, sans âme. Que peut-il y avoir au bout de la plaine?

Que peut-il y avoir au bout de la plaine?
Les corbeaux s'élèvent croassant,
Ils montent, montent tournoyant
Et s'en vont tout droit au bout de la plaine.

Que peut-il y avoir au bout de la plaine?
Le vent se lève mugissant
Et s'élance tourbillonnant
Au grand galop jusqu'au bout de la plaine.

Que peut-il y avoir au bout de la plaine?

Les nuages passent moutonnant
Et leur laine s'effilochant
S'étire en filant au bout de la plaine.

Que peut-il y avoir au bout de la plaine?
Le long train roule ferraillant
Et sa fumée l'empanachant,
Disparaît soudain au bout de la plaine.

Que peut-il y avoir au bout de la plaine?

Est-ce le terme de mon voyage? Qu'importe! N'ai-je pas fait déjà le sacrifice de ma vie?

Excellente, cette philosophie du sursis! Cela permet de conserver le regard clair et l'esprit lucide. Plus de sentimentalité niaise. Chaque minute est un gain, un mot qui s'ajoute à un autre, une phrase qu'on voudrait la plus longue possible et qui ne se termine pas mais se prolonge par des points de suspension.

Le regard de Daniel s'est tourné vers moi de nouveau avec la même insistance. C'est vrai, il reste Daniel. Pour moi le problème est résolu. Pour lui, non.

La déchéance marque déjà son visage. Ses joues amaigries, ses yeux enfoncés au fond des orbites, ses dents saillant dans une bouche toujours ouverte pour happer l'air et apaiser la brûlure de la soif, lui font un masque d'enfant martyr. Que restera-t-il bientôt du « beau chien » que je comparais au petit pêcheur sicilien et qui faisait mon admiration?

Non, pour lui le problème n'est pas résolu. Son cadavre pourra rouler et se déchiqueter le long du remblai de chemin de fer pour s'immobiliser enfin entre deux pierres dans une pose burlesque, cela ne résoudra rien.

Il restera que cet enfant n'aura connu que les sombres préaux de l'Assistance Publique et des maisons de rééducation, l'angoisse de la guerre, la souffrance, la faim et la soif. Pour quelle raison cette injustice?

Le train s'arrête enfin après un interminable ralentissement. Dans le wagon, on n'entend plus que des soupirs oppressés. Un long silence pèse désespérément. Dehors, crépitent les semelles cloutées des bottes sur les cailloux du ballast.

Herbert s'est redressé, attentif. Pendant les arrêts, les gardes examinent les wagons, passent dessous, tâtent les cloisons. Cet arrêt inopiné, à la tombée de la nuit, au moment où il commençait à faire sauter les dernières fibres de bois qui tiennent encore les planches, l'inquiète. On a beau travailler avec soin, réduire au minimum la largeur de l'entaille, nous ne savons comment elle se présente à l'extérieur. Un seul éclat de bois peut donner l'éveil.

Le dos appuyé contre les planches branlantes, il attend, le regard fixe, en se rongeant les ongles. Un homme à bout de patience frappe désespérément la cloison en hurlant :

— *Wasser! wasser! wasser!*

— Ta gueule! Ce n'est pas le moment de nous faire repérer!

Mais il continue sans entendre :

— *Wasser! wasser! wasser!*

Au comble de la fureur, Herbert s'écrie :

— Foutez-lui sur la gueule, Bon Dieu! Qu'il la ferme!

Soudain, il s'immobilise, le souffle coupé. Des gardes marchent derrière lui entre les tampons, sur le ballast. On entend distinctement leur conversation :

— *Sehen si mohl!*

— *Was ist das?*

— *Ein loch!*

Un coup de crosse dans le dos d'Herbert ébranle les planches. Il devient tout pâle et s'appuie de tout son poids contre la cloison. D'autres se précipitent pour essayer de consolider la paroi. Mais trop tard! Un nouveau coup de crosse défonce la planche en lui cognant les reins, il se relève haletant.

Dehors, les sentinelles hurlent. On ouvre le cadenas, on enlève les barres de fer, la porte roule... Un jour éblouissant nous aveugle. Les gardes sautent dans le wagon l'arme au poing :

— *Were hatte dise Loch gemacht?*

Le silence est lourd. Les hommes pétrifiés ne bougent plus.

Le Toubib s'avance et répond calmement :

— Nous tous! Vous n'avez pas le droit de nous enfermer ainsi et nous priver d'eau. Nous sommes des prisonniers de guerre, des soldats comme vous. Vous n'avez pas le droit.

— *Alle Heraus!*

On nous fait descendre du wagon à coups de crosse et on nous aligne, les bras levés. Le mot de passe circule de bouche en bouche à voix basse :

— Attention! Pas de connerie!

Tout à coup, on entend une galopade effrénée sur les cailloux du ballast. Herbert a détalé. Les gardes hurlent, se précipitent, épaulent. Les armes crépitent. Au moment où il atteint un wagon refuge sur une autre voie, il trébuche et s'étale sur les rails. Tous attendent, le souffle coupé. Il bouge, il va se relever. Non. Les gardes l'entourent. Je détourne la tête. On entend une dernière fusillade.

Ils nous ont fait remonter dans le wagon, après

avoir cloué les planches. Le train démarre. Daniel, l'œil collé à la fente, regarde intensément là-bas, sur les rails, ce grand corps immobile qui s'éloigne lentement, lentement, et finalement disparaît.

DEUXIÈME PARTIE

I

C'est au-dessus de ma tête, dans un ciel gris-bleu, le tournoiement inlassable des corbeaux, ponctué de leurs croassements discordants. Ils s'y connaissent et cet attroupement disproportionné de capotes entre les barbelés du camp leur semble une pâture mise là spécialement à leur disposition.

De temps en temps, ils descendent en vol épais et se posent lourdement sur le sol, croyant avoir repéré une charogne. Mais un bras s'agite, une voix s'élève, une étrange voix d'homme, et ils reprennent leur vol en sautillant maladroitement entre les jambes des dormeurs.

Je suis venu m'allonger à l'écart des autres, à l'écart de quelques mètres, près des barbelés, presque dans la zone interdite. Je risque une rafale, mais au point où j'en suis, peu importe! C'est le seul endroit où je puis être seul. Je me suis dépouillé de mes loques et, le torse nu, je savoure la caresse tiède du soleil sur ma peau. Il est étrange que ce plaisir soit encore de ce monde.

Les hommes vont, viennent, inlassablement, courbés vers la terre, à l'affût de la moindre pousse d'herbe à dévorer.

D'autres fourmillent dans un coin du camp, creusent, tournent et retournent la terre de leurs mains à un endroit où furent, dit-on, des silos. Mais ils ne découvrent que la pourriture des cadavres russes enterrés là. Les plus sages s'épouillent au soleil ou s'étendent tout simplement comme pour rêver et dormir.

Et cela porte un nom : Rawa Ruska, un nom indiqué quelque part sur une carte. En descendant du train, nous avons traversé une ville morte, une ville sans âme. A peine si nous rencontrions de temps en temps de pauvres êtres hâves, faméliques, dénués, qui s'enfuyaient en apercevant notre colonne étroitement cernée de gardes. Nous comprenions enfin que nous étions irrémédiablement condamnés.

Jamais je n'ai ressenti aussi profondément qu'en ce moment, dans ce camp qui pullule d'êtres affamés uniquement préoccupés de nourriture, ma détresse et ma solitude.

Les yeux mi-clos, j'attends toujours l'ombre amie, l'attouchement léger à l'épaule, le « Alors Jo! » qui va me faire tressaillir imperceptiblement. Mais Daniel ne vient pas. Daniel ne vient plus. Il a tourné son regard clair ailleurs. Je ne connaîtrai plus la chaleur de sa présence. Finie, disparue, enlisée, l'oasis du désert. J'avais raison, je ne suis pas fait pour l'amitié.

Mon corps décharné, vidé de sa substance, me semble plus que jamais une grande machine inutile. Le sursis? Quelle théorie absurde! Les corbeaux ne s'y trompent pas eux qui planent au-dessus de ma tête en attendant que la mort veuille bien éteindre cette petite veilleuse obstinée.

Daniel non plus ne s'est pas trompé. Il a suivi Bernard qui, dans la tradition des plus dignes troubadours, dispense ses rêves, ses espoirs, ses illusions sur des tréteaux improvisés.

— A ce moment tu entres en scène et tu...

Daniel demande ingénument :

— Où est-elle la scène?

Mais Bernard ne s'arrête pas à ces détails, il fonce sur Gaby et lui intime avec un geste péremptoire :

— Démerde-toi pour te faire une robe avec ta couverture!

Que faire d'autre sinon aller voir ces fous qui

essaient de nous distraire et se donnent eux-mêmes l'illusion?

« *...Moi, Monsieur, si j'avais un tel nez,*
« *Il faudrait sur le champ que je me l'ampu-tasse* »

Pft! Cyrano s'écroule, tombe d'inanition. Qu'importe, on enchaîne. La foule ravie suit attentivement. Et sur les visages émaciés passe un pâle sourire. Etrange spectacle en vérité que ces acteurs hâves, faméliques, échappés d'un tableau de Goya, qui cherchent dans leurs dernières forces un souffle de voix pour hausser un peu le ton!

— « ...Bon appétit, Messieurs!... »

Il y a bien le titi parisien qui lance son mot :

— Merci, je n'ai plus faim!

Mais c'est tout juste si le public sourit. Allons, allons, ne troublez pas le spectacle!

Daniel a les paupières baissées, il est immobile, en état d'hypnose. Vu de loin ainsi dans la pénombre, il semble un cadavre qu'on présente à la foule. Une sorte de magicien se penche vers lui, fait des passes magnétiques et lui dit d'une voix pénétrée :

— Tu la vois? Elle est venue s'asseoir près de toi. Elle est belle, très belle. Elle te prend la main, tu lui souris...

Je vois le sourire triste de Daniel, ce sourire que je ne puis supporter sans un pincement au cœur.

— Alors Jo? Viens voir mon infirmerie.

Lesvain a enfin trouvé une tâche à sa hauteur. L'état sanitaire du camp est déplorable. Il faut tout organiser. On découvre des cadavres russes un peu partout. La vermine pullule.

— J'ai dû constituer une équipe de gaillards recrutés parmi les plus costauds, enfin ceux à qui il reste encore quelque force, pour faire la police. C'est toute une histoire pour brûler la paillasse à un type qui s'obstine à rester couché dessus. Il faut les sauver malgré eux.

— A quoi sert tout cela?

— Comment à quoi cela sert?

— Ça nous empêchera pas de crever tôt ou tard.

— Le plus tard sera le mieux. Nous ne sommes pas pressés. Et si nous parvenons à en sauver quelques-uns ce sera toujours ça. C'est ce qu'on appelle sauver les effectifs.

Les corbeaux tournent en croassant au-dessus de ma tête. Ah! quelle épouvantable solitude! Tout est vide! Vide ce camp malgré cette multitude de capotes en loques qui circulent en tous sens, animées de je ne sais quelle agitation! Un crachat de tuberculeux examiné au microscope! J'ai la hantise de ces visages terreux, de ces yeux ronds, de ces barbes, de ces nez longs, camus et de travers, de ces bouches ébahies, édentées, exacerbées. J'ai la hantise de cette misère!

Et que faire? Le Toubib se penche sur chacun d'eux, les examine à tour de rôle et les renvoie avec une tape sur l'épaule: «Respire et fais confiance à ton organisme, tout s'arrangera».

L'abbé Auboin lève vers le ciel le minuscule gobelet en étain qui lui sert de calice: *Laudens invocabo Dominum, et ab inimicis meis salvus ero.*

Bernard s'en va chancelant calmer sa colère au milieu de la foule et chante un hymne qui redonne le goût à la grandeur.

Mais moi, je ne sais pas m'intéresser aux autres. Ma seule vocation était Daniel, mon unique ami. Et je l'ai perdu! Ma destinée est d'être seul.

La fusillade a crépité toute la nuit: des Juifs qu'on exterminait dans la ville devenue ghetto. Les rues sont rouges de sang et les prisonniers qui reviennent des corvées de la gare sont horrifiés. Quels temps bibliques vivons-nous?

Un petit Juif à qui l'on posait la question furtivement pendant le travail au bourrage des traverses a répondu:

— Fuir, à quoi bon? On ne peut pas fuir d'ici.

S'ils vous retrouvent, ils vous tirent dessus. Alors mourir pour mourir, autant que ça se fasse tout de suite.

Le Toubib toujours concret, expose calmement :

— Nous avons écrit à la Croix-Rouge Internationale de Genève pour lui faire connaître notre situation. Il faut que tout le monde sache que nous existons.

Et brusquement, nous apprenons que les hommes qui tentaient de rejoindre la Hongrie par les Carpates ont été repris et fusillés. Criblée de balles ta lettre, pauvre Toubib!

N'importe, on écrira encore une fois, dix fois, vingt fois! D'autres partiront, jusqu'à ce que notre lettre parvienne.

Et le drame continue :

— Tu sais la nouvelle?

— Non.

— Les trois qui étaient camouflés dans la citerne à la gare et qui devaient s'évader cette nuit...

— Oui.

— Ils ont été découverts. Ils sont venus droit sur eux. Ils ont été vendus.

— Qui?

Et aussitôt un nom court sur toutes les lèvres : Varèse, Varèse, Varèse...

Il est long, la démarche molle, avec dans le

regard une mauvaise lueur fuyante. Déjà cet aspect suffirait à le condamner. Sa voix est traînante, avec un désagréable grasseyement faubourien.

Le justicier s'avance, le regard étincelant comme un sabre.

— C'est toi qui as fait le coup?

— Non.

Le non est trop mou, pas assez net. Le regard essaie de s'esquiver.

— Salaud! C'est toi qui as fait le coup!

— Non.

— Tu te souviens de Mosbourg? Tu as déjà vendu deux copains.

— C'est pas vrai!

— Et Rivière c'est pas vrai? Et Bonfils non plus? Ose dire non, lopette!

— Laissez-moi!

— Tu peux toujours gueuler, tu n'échapperas pas cette fois!

Ils font cercle autour de lui. Les coups pleuvent. Il est à terre maintenant, le sang et la bave coulent de sa bouche. On a découvert dans sa paillasse une boule de pain entamée. Une boule de pain! La vie d'un homme!

— Pour Rivière, je n'ai rien dit... Je jure... Je jure...

— Et les autres?

Il ne répond plus. Sa tête est renversée en arrière, ses yeux vacillent.

— Allons, arrêtez le massacre!

— Nous ne sommes pas des bourreaux.

— Il faut un jugement.

— Un jugement?

— Une pourriture pareille!

— Nous ne sommes pas juges.

— Il faut le supprimer!

— On n'a pas le droit!

— Qui le défend?

— Tout accusé a le droit d'être défendu!

— Ce n'est pas un accusé, c'est un criminel!

— Il a des circonstances atténuantes.

— Quelle circonstance atténuante?

— La faim!

— La faim… la faim… la faim…

Tous hésitent.

— Où est la boule de pain?

— La voici.

Elle passe de mains en mains. Tous les regards convergent vers cette chose extraordinaire: du pain! Et dans les yeux s'allume une lueur folle. Vont-ils se jeter comme des bêtes sur cette pâte brune et dorée? Et déjà les mâchoires mastiquent, et la bouche salive.

— On pourrait la partager!

— La partager?

Ah? D'un geste large voici l'irrémédiable. La boule de pain lancée à la volée au-dessus de la zone interdite a rebondi dans les barbelés puis, après deux ou trois bonds, suivie intensément par les regards, elle est venue sagement se poser sous les ronces. Il suffirait de tendre un peu le bras. Déjà l'un s'élance. On l'arrête :

— C'est Varèse qui va la chercher. Si tu la ramènes, on te fait grâce.

— Non, non, pas ça!

Il a un mouvement de recul sur les genoux. Mais le cercle se referme menaçant, laissant ouverte la seule issue!

— Tu vas la chercher, Bon Dieu!

A genoux d'abord, puis en rampant sur les coudes, mètre après mètre, il avance, la tête contre terre. Tous, pétrifiés, suivent cette progression lamentable. Et les regards vont de Varèse au mirador où se détache la silhouette de la sentinelle avec sa mitrailleuse.

Il approche, il approche près des barbelés. Va-t-il pouvoir atteindre le pain et se sauver d'un bond en arrière?

Je n'ai pas entendu la rafale mais le cri, un cri qu'aucune bête n'a jamais dû lancer, un hurlement d'épouvante, et puis j'ai vu ce soubresaut, ce spasme dernier du corps qui vomit son âme. Il a tout de même réussi à saisir la boule et la tient serrée contre sa bouche qui mord le pain dans un dernier râle.

Les corbeaux tournent dans le ciel et voici que j'ai mal.

Que faire? Le Toubib dit: «Il faut les sauver malgré eux». Je ne sais conjuguer, moi, qu'à la première personne: «Je te sauverai malgré toi!»

Allons, ce passé est bien dans l'oubli à présent. Je ne pourrais plus, comme dans ma cellule, me contenter de quelques bribes de souvenirs. Le présent intense et violent ne me laisse plus de répit. Il se joue là un drame profondément humain et j'ai l'impression de n'être pas encore tout à fait sur scène.

La voix de Bernard clavonne, violente et métallique:

— Nous n'avons pas le droit de nous croiser les bras!

Vais-je demander ingénument comme Daniel: «Où se trouve la scène?».

En contournant les marais de Podwysokie puis en longeant les Carpates, on peut atteindre Cernovitz et la Roumanie. Là, aussitôt la frontière passée, il faut se mettre sous la protection des moines. De monastère en monastère, ils vous conduisent jusqu'à Constantza. O port! Mille vaisseaux!

Il faut absolument que je retrouve Prost. Je me suis arraché de terre après un gros effort. Tout tourne autour de moi et je mets un moment à reprendre pied. Mais il me semble que les corbeaux s'éloignent au-dessus de ma tête.

— Où est Prost?

— Connais pas.

Dans la demi-torpeur où les plonge l'inanition, ils ne bougent pas plus que des carpes. Là on casse la croûte, ma parole! Je m'approche. C'est une espèce de ratatouille à la paille de son, fine crème de paillasse sans doute.

— Où est Prost?

— Cheu bâ!

Cela fait tout de même plaisir d'entendre parler la bouche pleine. On me désigne un groupe, un quadrille joyeux, torse nu au soleil, qui clame sa joie de vivre:

— Trente et un!

— Trente deux!

— Quarante!

Ils ne jouent tout de même pas à la manille! Non. Il s'agit d'un jeu beaucoup plus subtil. Chacun a sa liquette étendue sur ses genoux et, tête penchée, fouille méticuleusement dans les replis. A chaque claquement victorieux des ongles, on annonce le score :

— Quarante et un !

Après avoir attendu décemment le temps qu'il fallait en m'intéressant au jeu, je touche discrètement l'épaule de Prost :

— Dis donc, Prost...

— Chut !... Quarante deux !

Il faut que j'assiste à la revanche, puis à la belle, avant qu'on daigne enfin m'écouter.

— Dis donc Prost, tu ne m'as pas dit que tu étais ingénieur des mines ou quelque chose de semblable ?

— Oui, mon cher, pour vous servir. As-tu un filon à me proposer ?

— Oui, viens voir.

Prost, à regret, met sa chemise avec le sourire amer d'un joueur qui n'a plus d'atout dans son jeu, et me suit traînant la jambe.

Nous arrivons au coin du mur de la dernière écurie dans l'angle du quadrilatère délimité par l'enceinte du camp.

— Combien peut-il y avoir d'ici jusque derrière les barbelés ?

— Peuh ! Cinquante, soixante mètres tout au plus.

— A ton idée, est-ce qu'on peut construire un souterrain ?

II

Les traverses sont lourdes et le ventre creux. Le travail est une question de rééducation. Je réapprends à travailler et je m'y emploie d'assez bonne grâce. Il faut doser ses efforts, éduquer sa respiration et occuper son esprit par des pensées distrayantes.

Voyons, rêvons! Les tours de La Grange se profilent à nouveau devant moi. Je n'ai jamais tant rêvé au manoir familial que depuis que je suis décidé de m'en éloigner définitivement. N'est-ce pas à cet ennui féodal que je dois un peu mon évasion dans le mariage? Quel heureux dérivatif après le morne tête-à-tête *pater et filius*.

L'appartement que nous habitions à Paris n'était pas hanté par le ferraillement des trains mais par le froissement plus doux des pneus sur l'asphalte.

J'avais pris goût à l'huile de beau-papa. Mes nouvelles fonctions dans la publicité m'accaparaient entièrement. Très vite, je me mis au diapason. Je me surprenais à parler affaires, voitures, bourse, politique tout comme les autres, et je m'émerveillais de cet automatisme fonctionnel : mon porte-cartes dans la poche gauche, mon carnet d'adresses dans la poche droite, le chapeau sur la deuxième patère de l'antichambre, enfin, dans la main, le porte-clefs si nécessaire au cours des conférences où il faut, tout en faisant semblant d'écouter, préparer sa réponse.

Je me croyais miraculeusement guéri de l'ennui et je me laissais porter par la mascarade, satisfait et replet comme un roi de carnaval. C'était une autre ivresse, celle de la médiocrité. Moins violente peut-être, moins peuplée de sensations suaves, mais étouffée de torpeurs ouatées comme une toxine apaisante. Je n'avais plus qu'à me laisser vivre quand soudain, justement, cette idée m'effraya. Cela durait depuis quatre ans à peine et il fallait continuer ainsi toute une vie. Dans l'armée, il y avait un terme à mon engagement, là pas de fin possible.

Cette suite régulière de jours identiques se succédant les uns aux autres à un rythme de métronome : le bureau, la maison, le bureau, la maison, me parut terriblement insipide. Le plus triste, c'est qu'Annick semblait ravie de cette ponctualité de fonctionnaire et ne voulait pour rien au monde changer de rythme. Une grossesse difficile dont elle ne s'était jamais tout à fait remise lui avait donné des goûts sédentaires. Hors de fréquents séjours à La Grange où l'air paraît-il était très bon pour la jeune maman et l'enfant, notre vie était toujours la même. Je commençais à désespérer de trouver une issue.

C'est alors que le destin eut pitié de moi et m'en offrit une sous la forme inattendue de mon fascicule de mobilisation. Brusquement, je me retrouvais dans un avant-poste avec l'immense possibilité que je pouvais tirer de cette nouvelle aventure. A ce moment, j'ai senti très nettement que les tours du manoir de La Grange voulaient s'éloigner de moi définitivement.

Pause casse-croûte! J'aime beaucoup cette pause casse-croûte où nous n'avons rien à manger mais où nous avons tout de même le droit de nous asseoir. Nous nous asseyons sur les traverses, les vieilles, celles que nous avons remplacées sur la voie de chemin de fer, et que nous empilons très adroitement en jolis cubes parfaitement alignés.

Au début, on s'asseyait face aux voies et on regardait passer les trains. Etranges trains en vérité que ces convois interminables de wagon à bestiaux, entièrement bouclés et bardés de fer, d'où s'échappent, quand par hasard ils s'arrêtent, des gémissements étouffés et des cris d'agonie. A une lucarne ouverte, des visages de cauchemar s'écrasent contre les barreaux. Nous avons eu un moment de révolte et les gardes ont été obligés de nous serrer de près avec leurs armes.

Depuis, pour ménager sans doute notre sensibilité, ils nous obligent à nous asseoir face à la campagne. La plaine s'étend devant nous, aride et nue avec quelques maigres céréales.

—Tu vois, me dit Prost en me désignant à l'horizon une mince ligne bleutée comme un voile de brume légère, c'est sur ces collines que se cachent les partisans. Trois nuits de marche et nous y sommes.

Dans l'un des cubes de traverses, nous avons astucieusement aménagé une cachette. Apparemment, rien ne le distingue des autres tas, mais en déplaçant une traverse, on découvre une cavité, l'intérieur est entièrement vide. Nous y entassons notre butin au fur et à mesure des prises : trente mètres de corde, deux pics, un sac, une lampe.

Le matériel attend là jusqu'à l'instant favorable pour le transporter dans le camp, opération plus délicate. Il faut en effet réunir un certain nombre de conditions : des gardiens sinon moins vaches du moins plus apathiques, une bonne petite pluie qui accélère les formalités de la fouille à l'entrée du camp, enfin une période euphorique due à quelque succès sur le front russe qui plonge nos garde-chiourme dans une béatitude aveugle.

Le scénario, longtemps préparé, se déroule alors avec une précision mathématique. A l'instant voulu, au rassemblement à l'entrée du camp où doit avoir lieu la fouille, l'un d'entre nous s'écroule, pris soudain de faiblesse, ce qui est relativement facile à simuler. Dans notre état de déficience, cela nous arrive fréquemment et les gardiens ne s'en étonnent plus.

Le malade n'ayant pu être relevé à coups de bottes, on tolère qu'il soit enlevé par deux hommes. Le trio prend donc le chemin de l'infirmerie, et notre Toubib reçoit un malade saucissonné sous sa capote dans trente mètres de corde, et deux acolytes ayant chacun un pic dans une jambe de pantalon. Ce n'est qu'un jeu ensuite pour faire passer le matériel dans notre écurie et le glisser dans le trou creusé sous le bat-flanc.

La pause est terminée. On reprend le travail, le ventre toujours creux, et l'esprit toujours agité de pensées qui tournent à vide, seul moyen de faire passer le temps.

131

Voyons, où en étions nous? Ah! notre désir d'évasion! Oui, la guerre m'a apporté enfin d'immenses possibilités. Il suffit de brouiller un peu les cartes, de changer d'état civil, de faire croire que Georges de Bray a disparu, et nous voici devenu un autre homme.

— Très bien! Côté pratique, c'est un jeu d'enfant. Et après?

— Comment après?

— Que faire de cet homme nouveau?

— Qu'importe! Laissons-le faire!

— Ne crains-tu pas qu'il agisse comme l'autre, le disparu?

— Ce n'est pas certain dès l'instant où il se sent libre, disponible pour toutes les folies à accomplir.

— On ne change pas l'homme en modifiant son état civil.

— L'important est de le faire sortir de sa condition.

— On ne s'évade pas de sa condition. Le Toubib le répète souvent.

— Le Toubib ne semble connaître de l'homme que son anatomie, et sa philosophie se borne à la théorie de l'espèce. Je ne suis pas d'accord avec lui.

— Moi non plus.

— Il faudra le sommer de s'expliquer. Il ne

pourra pas toujours s'en tirer avec une pirouette.

C'est le moment.

A l'infirmerie, le Toubib est en train de remettre un bras à sa place. Je bute contre une forme oblongue allongée par terre et recouverte d'une couverture. Je soulève un coin de la couverture et je frémis : le visage de Rousseau émacié, les paupières à demi fermées, avec cette sorte de sourire que l'on voit sur les têtes décapitées dans les boucheries.

Lesvain a un geste de fatalité :

— Oui, Rousseau! Il y a des pauvres types qui ne peuvent échapper à la mort. On avait réussi à le sauver de sa pneumonie mais le typhus ne l'a pas loupé.

J'ai un sursaut. Je lui montre le cadavre :

— Qu'est-ce que tu fais ensuite avec ça?

Il a un geste vague :

— Sans intérêt. Il faudra que je trouve un coin pour faire une morgue.

— Sans intérêt? Tu as pourtant fait tout ce qui était possible pour le sauver?

— Oui, bien sûr. Mais maintenant il n'y a plus rien à faire.

Il y a un silence. Nous restons debout, les bras pendants, à regarder cette chose étendue à nos pieds, cette chose qui fut Rousseau.

— Voici l'aboutissement: de la matière en putréfaction offerte à tous!

Le Toubib pose sa lourde main sur mon épaule. O comme j'ai besoin de cette main!

— Non. La matière, comme tu dis, se sera volatilisée depuis longtemps qu'il y aura toujours gravé dans ta mémoire les traits de Rousseau et l'intonation qu'il avait pour dire *merde* quand il perdait à la belote.

Le Toubib a ouvert un petit cahier d'écolier où sont inscrits des noms et m'interroge:

— Il était marié?

— Oui.

— Eh bien! Sa femme aura une belle pension de veuve de guerre! Il avait des enfants?

— Je crois.

— Tant mieux! Ainsi la race des percepteurs ne sera pas éteinte.

J'observe le visage glabre du Toubib, son sourire en coin, ses yeux malicieux où brillent à la fois l'intelligence et la bonté, et pour la première fois, j'ai l'impression de me trouver devant un docteur qui cache son diagnostic. Il faut pourtant qu'il s'explique.

— Dis donc, quand tu opères un malade et que tu lui ouvres le bide, tu ne cherches pas où peut bien se cacher son âme?

Il lève les bras au ciel:

— Mais tu m'emmerdes avec tes questions!

Après avoir ficelé le bras de son patient, il revient à la charge:

— Tu as vu ces trains de Juifs qu'on envoie au four crématoire? Et ces véritables hécatombes dans les villes pendant les bombardements? Ça ne pardonne pas ça! Tout y passe et sans distinction de sexe ou d'âge. C'est une grande catastrophe qui s'abat sur le monde, une catastrophe où l'espèce risque d'être anéantie. On a déjà vu des catastrophes semblables. Il n'y a rien à faire dans ces cas-là, rien à faire sinon essayer de sauver l'espèce. L'histoire, la philosophie, la littérature, c'est pour après, quand le danger est passé.

«C'est pourquoi, quand tu me parles de Rousseau, de ta petite âme et de la façon dont tu faisais dans ta culotte à cinq ans, je me marre doucement. Tout ça c'est dépassé par les événements, mon vieux!

J'aime la façon qu'il a de s'emporter, de jouer la colère en grand comédien. Il revient vers moi calmé et me lance un bras vigoureux autour du cou:

— Tu as raison de vouloir prendre des vacances. Le changement d'air te fera du bien. Mais ne va pas chez les patriotes polonais. Tu leur ficherais le moral en l'air. Laisse ce boulot-là à Bernard, c'est un entraîneur d'hommes, lui. Il embouche son clairon, rassemble sa compagnie et hop! en avant! pas de quartier! Toi tu perdrais ton temps à déchiffrer l'énigme de la parabole de la mitraillette.

« Pour les mêmes raison, je n'ai pas voulu que tu travailles à l'infirmerie avec moi. Chaque fois qu'un pauvre type tourne de l'œil, tu meurs un peu avec lui.

« Pars en vacances, c'est bon ça. Ne t'inquiète pas pour ceux qui restent, nous nous démerderons. Et puisque tu veux te rendre utile, tâche d'aller en vacances le plus loin possible, en Angleterre par exemple pour raconter là-bas ce qui se passe ici. Voilà une mission à ta mesure, une mission de confiance. Si tu veux, je te donnerai les rapports que j'ai envoyés. Tu les apprendras par cœur. Comme ça, ils auront peut-être une chance d'arriver.

— Rawa Ruska, Lwow, Rudki, Stanislawow...

Le doigt de Gérard descend vers la vallée de Dniestr. Nous sommes tous les quatre penchés sur la carte que Prost vient d'achever. La lampe à graisse éclaire curieusement les visages par-dessous, taillant des angles d'ombre, des arêtes de lumière. Sur les bat-flanc voisins, les dormeurs ronflent déjà. D'autres conversations s'échangent plus loin à voix basse. La touffeur de l'atmosphère où des centaines d'êtres cherchent leur respiration commence à tambouriner mes tempes.

— Pour moi, je crois toujours qu'il vaut mieux obliquer vers le sud-ouest et se diriger sur les montagnes du Sambor où nous avons des chances de trouver les patriotes polonais.

— Oui, cent kilomètres de plus. Sans compter les risques de se faire poisser par les troupes ukrainiennes qui doivent pulluler dans ce coin-là.

— Au sud, il y a les marais.

— On peut les contourner. Qu'est-ce que tu en penses, Jo?

A vrai dire, je ne m'intéresse pas aux détails de l'expédition. L'essentiel pour moi est de sortir d'ici, de m'évader, de vivre ailleurs, et si possible de changer de peau. Peu m'importe de faire le coup de feu avec les partisans polonais ou de rallier la France libre. Ma captivité est d'un autre ordre. Les chaînes que je veux briser ne se cisaillent pas, hélas! J'ai déjà à moitié enseveli ce personnage encombrant qui m'empoisonne dans sa peau de chagrin délicate. Mais tronquer son nom est insuffisant. Il faut que je m'écorche à vif et que j'ensevelisse ma dépouille en un lieu où je ne viendrai plus la chercher.

Ces compagnons de mon évasion, ces témoins de ma vie antérieure, il faut bien que je les abandonne, qu'ils me perdent à leur tour. Alors que m'importe la route à suivre puisque mon chemin tôt ou tard prendra une direction inconnue, et que je m'en irai seul?

Soudain, j'entends siffloter cet air, cet air que je n'arrive pas à identifier, et deux mains se posent sur mes épaules avec la pression bien connue:

— Alors Jo?

Je mets un moment à relever la tête pour cacher mon trouble. Il s'assied sur le bat-flanc en face, sort sa boîte à tabac et décortique un mégot. Et comme Gérard replie ostensiblement la carte, il se dresse, brusquement vexé:

— Si je vous gêne, je vais vous laisser!

Il y a des protestations molles. J'éprouve une sorte de plaisir à ne pas intervenir. Il parle trop, beaucoup trop, il explique:

— Un copain de votre équipe m'a demandé de changer de kommando avec lui. J'ai accepté. Je voudrais travailler à la gare, il paraît qu'il y a de la défense.

— Oui, si tu n'as pas peur de te casser les dents sur les traverses.

Prost et Gérard se sont levés en haussant les

épaules:

— Nous t'attendons là-bas. Ne cherche pas la lampe, c'est Martinez qui l'a.

— Entendu.

Roux bâille et me fait signe :

— Je vais me coucher. Tu me réveilleras. Bonne chance!

Nous restons seuls, Daniel et moi. J'enfile le vieux pantalon maculé de boue qui nous sert pour descendre dans le souterrain.

— Ça marche toujours votre truc?

— Plus que jamais.

Il suit attentivement mes préparatifs sans dire un mot. Au moment où je vais partir, il se lève :

— Je viens avec toi.

— Couche-toi, tu feras mieux. On n'aime pas beaucoup les gens inutiles là-bas.

— Mais je ne serai pas inutile. Je veux vous aider.

— Nous sommes déjà trop nombreux.

Il me retient par la manche :

— Jo, si j'étais décidé à partir avec toi, est-ce que tu m'en empêcherais? Tu me l'as proposé une fois en tôle, rappelle-toi, c'est comme une promesse.

— Parle plus bas, les copains roupillent!

— Réponds-moi.

— Les conditions ne sont pas les mêmes. Quand je t'ai proposé de partir avec moi, nous étions en Allemagne, il s'agissait d'une évasion ordinaire, les risques étaient moins grands. Ici, ce n'est pas pareil. Nous comptons rejoindre les partisans et lutter avec des armes. On ne fait pas de prisonniers chez eux, tu sais ce que ça veut dire? Nous ne sommes que des gars décidés, des *patriotes* comme disent les Polonais.

— Si être patriote consiste à se bagarrer contre ceux qui vous empêchent d'être libres, je suis patriote.

— Notre équipe travaille au kommando de la gare pour pouvoir piquer du matériel et recueillir des renseignements. C'est très dur. Nous n'avons pratiquement rien à bouffer, et la nuit, il faut faire un effort supplémentaire : creuser le souterrain à tour de rôle. Je ne te cache pas que beaucoup déjà ont abandonné.

— Laisse-moi essayer!

— Tous ceux qui sont avec nous ont fait le sacrifice de leur vie. Ils ne s'évadent pas pour rejoindre leur famille.

— Ma famille à moi, c'est l'Assistance Publique, tu le sais bien. Je n'ai nulle envie de la rejoindre. D'ailleurs, ma véritable famille c'est les copains.

— Et Bernard?

— Quoi Bernard?

— Il ne vient pas avec toi?

— Il viendra certainement.

— Ça c'est formidable! On se décarcasse à monter un truc et quand ça commence à prendre tournure, des gars viennent se faire inscrire comme s'il s'agissait d'une croisière.

— Tu n'as pas répondu à ma question. Alors tu refuses?

— Je ne peux refuser à personne de partir, de profiter de l'occasion, mais avoue que tu viens un peu tard!

Je m'emporte sincèrement contre lui, mais au fond, je sais déjà qu'il viendra.

— Il fallait venir il y a un mois maintenant...

— Maintenant?

— Maintenant couche-toi! On en parlera demain avec les autres.

— Non! Ce soir ou jamais!

C'est toujours la même voix cassée, avec le même enrouement, avec les mêmes mots irrémédiables.

— Eh bien, soit, viens!

Dans le fond de la chambre, on a tiré le bat-flanc. La trappe est déjà ouverte, les guetteurs placés. Martinez me tend la lampe:

— Fais gaffe, elle n'a plus beaucoup de jus!

— Ce n'est pas moi qui vais m'en servir, mais le jeune homme.

Ils ont tous un regard dur pour Daniel. Prost ne cache pas son mécontentement:

— Ce n'est pas le moment de plaisanter!

— Tu entends, Daniel?

Sans sourciller, il enlève sa veste. Je lui passe le pantalon de descente raidi par la boue. Il n'a que sa chemise toute trouée.

— Tu veux mon pull? Ça n'est pas sec en bas, tu sais.

— Non.

Pardi! Je le connais le petit.

Ah! Quelle joie de sentir filer entre mes doigts la corde qui tient au bout non plus Prost, ni Roux, ni Martinez, ni aucun des autres, mais Daniel!

Il doit avancer lentement car il ne connaît pas le souterrain. Je sens à la corde son mouvement, une reptation lente puis un arrêt, le temps à la jambe de se replier sous le corps: une, la jambe gauche, deux, la jambe droite, une, deux... Je crois voir son visage, le front avec son pli d'attention, les yeux grands ouverts pour essayer de voir dans l'obscurité — car il n'a pas allumé la lampe, je suis sûr qu'il ne l'a pas allumée — et l'expression dédaigneuse de sa bouche, l'expression qu'il a dans les moments de grande attention. J'ai une folle envie de retenir traîtreusement la corde entre

142 mes doigts pour augmenter sa difficulté.

Prost vient s'asseoir près de moi. Il me souffle à l'oreille pour ne pas réveiller les copains :

— Qu'est-ce que c'est que cette histoire? Tu l'as embauché?

— Chut!

— Je croyais qu'on...

— On verra.

Et, pour n'être pas distrait de ma joie, je l'envoie préparer les planches d'étayage, il va en avoir besoin.

Ah! je vis en ce moment une heure inoubliable! Cette réalisation entreprise sans espoir s'achève maintenant, elle touche à sa fin. Pour la première fois, je sens que ce tunnel ne s'enfonce pas dans la terre mais s'ouvre à la lumière, l'air libre, la liberté. L'idée de l'évasion se concrétise, elle imbibe mon cerveau comme les fumées d'un alcool violent. Je voudrais être déjà à cet instant du départ où l'on rejette la corde d'arrimage, où l'on respire la première bouffée d'air libre, toutes les facultés tendues, l'attention portée à son paroxysme, les narines frémissantes, ouvertes au vent du large.

Et la marche dans la nuit, rythmée par une musique intérieure, la fatigue de l'aube rose et froide, le repos, caché dans les taillis comme une bête traquée, le réveil sauvage avec les senteurs lourdes de l'humus, le fourmillement des bruits vivants de la forêt, le tiraillement des muscles, la joie des poumons, et sur le flanc cette chaleur, cette odeur tiède et bonne de l'ami.

Quand il remonte pour la relève, tremblant de fatigue, de colère et de froid, je ne puis m'empêcher en tâtant sa chemise glacée d'être bouleversé par une vague tumultueuse de tendresse :

— Tiens, enlève ta chemise et mets mon pull.

— Non.

— Mets ça, je te dis!

Je sens l'impérieux besoin de descendre à mon tour dans le souterrain avec une simple chemise sur la peau, d'entrer dans son froid tandis que je lui abandonne ma chaleur.

Quelle joie de pouvoir se dépouiller enfin pour un autre!

III

Et, bien entendu, Bernard est là, l'œil courroucé, le cheveu en bataille, c'était inévitable. Nous sommes face à face, le regard dur, les poings serrés.

— Une affaire de cette importance intéresse tout le monde!

— Tout à fait d'accord.

— L'action individuelle est inadmissible et même dangereuse.

— Il ne s'agit pas d'une action individuelle.

— Nous sommes liés par le même sort. Rien ne doit se faire sans le consentement de tous.

— Nous ne pouvions pas le crier sur les toits et l'annoncer à tout le monde.

— Je ne suis pas tout le monde!

La violence du ton plus que les mots dit combien est profond le ressentiment qui nous sépare.

Et pourtant je ne me sens aucune haine contre lui. Nous avons tant de sentiments communs! Et puis Daniel est derrière moi, le pardon est facile.

A voir de si près ce visage avec ce regard étincelant sous l'ombre des orbites, ce menton rendu plus carré par la maigreur, je comprends que Daniel ait pu se laisser fasciner par cette force.

Non vraiment, je n'ai ni haine, ni colère contre lui, un peu de pitié seulement au souvenir de ma solitude. Lui aussi va souffrir.

Et voici que s'impose à mon esprit en caractères fulgurants, ce passage de la lettre d'Annick, cette lettre dont les mots s'effacent peu à peu sur ce papier jauni au fond de ma poche:

«Tu ne veux pas m'écrire Jo?... N'importe! Je t'attendrai. Je sais que tu reviendras. Maintenant tu as tes idées, ces pensées qui te poursuivent, mais tu reviendras. Je te connais mieux que toi, Jo, tu es bon.»

Non? Moi, bon? Allons donc! Lesvain lui est bon, qui se penche continuellement sur ses malades et les soigne de son mieux, sans remèdes. Auboin qui, oubliant sa misère, essaie de secourir les autres, est bon. Bernard aussi est bon avec sa générosité de cœur et la noblesse de ses sentiments. Mais moi?

J'ai presque envie de tendre la main à Bernard

mais je crains que dans sa colère il ne me repousse, et je reste là, devant lui, à essayer de justifier par des mots ce qui, à ses yeux, est injustifiable.

Heureusement, le Toubib intervient:

— Mais voyons Bernard, nous ne pouvons pas tous quitter le camp! A chacun sa tâche. Eux vont essayer de joindre les partisans et, s'ils réussissent, les convaincre de tenter une action pour nous libérer. Nous ici, nous devons nous préparer.

C'est ça la bonté, cette charité du cœur, ce respect des autres même si on ne les aime pas. Mais comment peut-on faire le bien sans aimer? Allons donc! Si je donne de bon cœur mon pain à Daniel, suis-je capable de le donner à un autre qui n'est rien pour moi?

Voici Bernard calmé pour un temps. Il se voit déjà à cheval, passant ses troupes en revue. Cependant, avant de rejoindre son poste de commandement, il me jette un regard noir:

— Je te souhaite bonne chance!

Et, le bras levé, notre Cyrano fait une sortie très digne comme à la fin de l'acte deux.

Daniel n'a pas un geste pour lui tant il est occupé à préparer son repas de gala: bouillie de paille aux fines herbes et galettes de son. C'est son anniversaire. Demain il aura vingt ans et il convient de célébrer dignement ce jour mémorable.

Je me suis longtemps creusé l'esprit pour trouver ce que j'allais lui offrir en cette occasion. Ne parvenant pas à faire mon choix, je me suis décidé pour la solution la plus simple : le lui demander.

— Voyons, qu'est-ce qui te ferait plaisir pour tes vingt ans?

Il a un sourire d'enfant gâté et se redresse, un moment rêveur, en frottant ses bras pailletés de son au-dessus de sa gamelle. Il ne s'agit pas d'en perdre une bouchée.

— Tu vois ce que j'aimerais c'est un taxi. Oui, chauffeur de taxi ça me plairait. Tu te promènes dans les rues, tu conduis un tas de gens, et le dimanche tu fais faire un petit tour à ta môme.

Il s'imagine déjà, roulant lentement dans la campagne, le compteur bloqué, un bras passé autour du cou de sa bien-aimée.

— Bon. Eh bien, pour le taxi, on y pensera! En attendant voici un clope, c'est toujours ça.

Ai-je signé une trêve avec le destin? Je ne suis pas convaincu du tragique de la situation. Il me semble vivre encore un instant de douceur. Le regard de Daniel se tourne vers moi avec confiance. J'ai ce sentiment tonique de ne m'appartenir pas. Il faut conserver cela à tout prix. Il suffit de peu de chose pour vous donner une raison de vivre. Qu'à l'instant du plus profond désespoir un

regard confiant se tourne vers vous et le chroma-
tisme qui vous entoure change, le noir devient
bleu.

Cependant l'atmosphère du camp s'épaissit,
lourde et visqueuse. L'agitation a fait place à une
sorte d'animation ralentie, identique à celle des
scaphandres dans une eau épaisse. Les hommes
ne bougent plus ou presque plus. Chacun,
conscient des maigres ressources qui lui restent,
en fait une économie serrée. Le moindre geste est
mesuré. Il ne s'agit pas de se lever pour rien ou
hors de propos. La promenade est bannie.

Les hommes vivent de plus en plus repliés sur
eux-mêmes dans une somnolence apathique, pros-
trés, attentifs seulement à cette rumeur sourde du
sang qui bat dans les veines. Chacun regarde avec
angoisse l'autre qui tombe ou qu'on emporte, et se
demande si son tour n'est pas venu.

Un étrange convoi passe lentement. Une croix de
bois, un brancard que quatre hommes portent sur
leurs épaules, l'abbé Auboin suit derrière...

Mais non, rien à faire, je ne ressens pas d'émotion, le tragique ne m'émeut plus. La sensibilité
finit par s'émousser. Je ne suis plus heurté par
l'immobilité inconvenante des cadavres et je ne me
pose plus de questions à leur sujet. Tout devient
naturel à la longue. Et puis, sous le ciel bleu, avec

les barbelés en filigrane, ce convoi qui passe lentement et cette couverture que soulève le vent comme un oriflamme, tout cela compose un tableau qui ne manque pas de grandeur.

En ce jour, il me semble que rien ne peut m'atteindre. Tout est extraordinaire : la légèreté des traverses à demi pourries que l'on transporte à deux, la démarche lente de mon coéquipier devant moi, sa nuque brune au-dessous de la chevelure abondante, la transparence de l'air où les bruits se répercutent avec une sonorité musicale, et l'ocre vermeil de la plaine, et le bleu du ciel au-dessus de nos têtes.

Je ne vois plus les sentinelles *feldgrau* plantées régulièrement comme des poteaux de l'autre côté de la voie de chemin de fer. Je ne sens plus la poigne de la faim tordre mes entrailles. Au contraire, il me semble que ma pesanteur se volatilise et que j'évolue avec une légèreté impondérable.

La croix de bois est dressée sur un tas de pierres au milieu du camp : une perche avec une branche attachée en potence à l'aide d'une corde grossière. L'autel est fait de briques entassées, et la voûte de cette nef improvisée est un ciel d'azur où les nuages peignent inlassablement une fresque gigantesque.

La croix dans le vent se balance doucement comme la mâture d'un voilier de haut bord. Le prêtre lève ses deux bras en tenant dans ses mains réunies l'offrande dans son gobelet d'étain. Et la foule des humbles capotes se prosterne en silence.

Alentour, sur les miradors qui blessent le ciel de leur superstructure insolite, les sentinelles surveillent le camp, les mains posées sur leurs mitrailleuses.

— *Gratias agamus Domino Deo nostro.*

Dans le silence de l'élévation, de l'autre côté des barbelés, les commandements de la relève claquent en aboiements rauques:

— *Immgleischtritt Marsch!*

— *Rechts um!*

— *Abteilung halt!*

Une brise légère effleure les têtes nues qui s'inclinent. Et là-haut, perchés sur leurs observatoires, les gardes se demandent avec qui est Dieu. Mais un coup d'œil à leur ceinturon les rassure.

Daniel se tourne vers moi et m'interroge à voix basse:

— Est-ce que tu crois, toi?

C'est une question que je me pose souvent. Une question à laquelle je n'ai pas encore trouvé de réponse. C'est l'inévitable point d'interrogation que tous les hommes sentent au creux de leur estomac, et qu'ils n'arrivent jamais à digérer complètement.

Mes ancêtres avaient une croix qui leur barrait la poitrine. Avant de rabattre la visière de leur heaume, ils récitaient un *Pater* puis piquaient ferme des deux et s'en allaient au grand galop pourfendre le Sarrasin. Si nous étions encore au temps des Croisades, il me semble que je serais un chrétien de cet acabit.

J'ai rompu avec ma famille et avec mon passé pour échapper justement à la décadence de cette race qui ne compte plus aujourd'hui que des bureaucrates, des collectionneurs de porcelaines armoriées et des pédérastes, et qui cependant continue à fréquenter régulièrement le confessionnal par pure tradition.

Le jour où j'irai m'agenouiller devant l'autel, ce sera non par reconnaissance pour le connétable Philibert de La Grange Villeroy, mais pour plaire à Dieu tout simplement.

Le regard est limpide, un regard gris clair, presque bleu, le regard que je devais avoir au temps de ma première communion. Derrière, il y a l'infirmerie où agonisent les autres, la triple rangée de barbelés avec les sentinelles en armes...

— Bien sûr, on ne peut pas faire autrement que de croire!

Laissons les sarcasmes aux esprits forts. Ici il n'y a pas d'esprits forts. Daniel est trop seul, sa solitude est trop grande, nous ne pouvons lui refuser le droit d'entrer dans cette famille universelle.

Le prêtre ouvre ses bras :

— *Vade in pace, et Dominus sit tecum, Amen!*

Voici que je tressaille, voici que je respire profondément... Je revois le petit enfant qui dansait dans les rayons du soleil.

— Jo-ô! Jo-ô!...

L'appel de Maroux est venu troubler le pilote qui conduisait son avion au sommet du cerisier. Je lève mon manche à balai, et j'atterris sur la pelouse devant le perron de la cuisine, pour le *café* de quatre heures, Maroux n'a jamais pu appeler autrement le goûter.

Sur la table, elle a posé le bol fumant et les tartines de pain beurré. Je mange debout en dansant autour de la table.

— Cet enfant, il ne peut jamais s'asseoir!

Le soleil entre à flots par les vitres laissées nues au-dessus des rideaux rouges, et les rayons obliques brillent de myriades de fines poussières lumineuses. Je laisse les rayons caresser mon visage, ainsi le Bon Dieu doit me voir. Mais l'éclat du soleil m'oblige à fermer les yeux, et longtemps, je m'amuse à regarder, frappé d'émerveillement, sur mes paupières fermées, un cercle d'or qui brille dans un halo rouge: l'œil du Bon Dieu.

Sur quel rivage lointain ai-je abandonné cet enfant blond dans lequel je désespère de ne plus me reconnaître?

Le soleil a disparu derrière les collines lointaines. Le vent du soir se calme, et la terre baignée de vapeurs bleutées tremble d'un frisson craintif. Les hommes se sont entassés pour dormir. Une rumeur triste, étouffée, monte de ce bétail misérable. Comme dans les temps primitifs, les êtres voient descendre la nuit avec crainte.

Pourquoi faut-il que le passé, imprégné de sa tristesse nostalgique, revienne toujours à ma mémoire? Le passé ne me concerne plus! Oui, mais comment le supprimer?

Il revient toujours, empli, grossi, énorme, comme une lame de fond, me culbuter et m'engloutir dans sa masse écumante et tourbillonnante; cris d'adolescents, mornes désespoirs, rêves inaccessibles, amères désillusions, ambitions démesurées, résignations sublimes, amours idéalisées, désirs cyniques, les vagues gonflent, se creusent, roulent, s'éparpillent, se chevauchent, et, quand cette mer tumultueuse s'est enfin calmée, j'ai vu sur le miroir sale de l'eau boueuse, mon image, toujours ce même visage, un peu plus triste, un peu plus sceptique, un peu plus vieilli. Homme, pourquoi faut-il que tu sois toujours poursuivi par les rêves de ton enfance?

La nuit est complètement venue. Les étoiles s'allument une à une comme les cierges sur l'autel avant la messe. Les grosses, toutes proches, à force de les regarder, deviennent comme des petites lunes. D'autres, infiniment lointaines, tremblotent, troublées par quelque vent du large. La lumière nous vient de ces mondes, aux antipodes de l'univers, par vagues ondoyantes, et celle qui déferle en ce moment sur la terre est partie de là-bas il y a vingt siècles.

Vingt siècles! Jésus voyait le jour dans l'étable de Bethléem et cette vague de lumière appareillait. Des siècles se sont succédé avec des révoltes, des guerres, des nations victorieuses, des nations vaincues, des gloires éphémères, de grands désordres, des cataclysmes, des générations et des générations de morts, et cette petite lumière, toujours vivante, a continué son chemin sur l'océan de l'espace: *Benedicite stellae coeli Domino!*

IV

— Garde à vous!

Le carré des *troupes* s'est figé dans une immobilité absolue. Tous les autres, les *spectateurs*, se redressent.

— Au drapeau!

De l'extrémité de la branche formant la croix qui se dresse au milieu du camp, sur son petit monticule de pierres, tombe une corde double — la corde qui nous sert pour le souterrain — et, le long de la corde, monte lentement le drapeau comme un pavillon à la corne d'un mât.

Le silence est total. Les corbeaux, eux-mêmes, se taisent. Sur les miradors, le canon des mitrailleuses est braqué sur le centre du camp, sur la foule. Tous sont immobilisés dans l'attente d'un événement important.

Bernard a grimpé sur les briques qui servent d'autel à l'abbé Auboin, et lève les bras. J'attends l'inévitable : « Soldats, je suis content de vous ! ». Non. Sa voix étrangement sonore résonne dans le camp :

— Une minute de silence pour nos morts !

Tous les bras se lèvent dans un même geste raidi, les mains ouvertes se portent à la tempe pour le salut. Le silence est impressionnant. Au sommet du mât claque le drapeau, et j'ai beau me répéter qu'il est fait d'un morceau de drap bleu d'une capote de chasseur, d'un carré blanc douteux taillé dans une liquette, et de la doublure rouge d'une vareuse d'officier serbe, je n'arrive pas à dénouer ce nœud qui me gêne dans la gorge.

Est-ce le souvenir de nos morts, l'imminence de notre départ ou tout simplement les circonstances de cette cérémonie : le ciel chargé de nuages, les barbelés, les miradors, et l'œil noir des canons de mitrailleuses qui nous observe ?

Chacun sent confusément qu'il va exploser quelque chose. Rien n'explose cependant, sinon des commandements brefs qui résonnent étrangement en ce lieu :

— Pour le défilé, compagnie à mon commandement !

— Vers la gauche, en ligne de sections !

— En avant marche!

Le silence est scandé maintenant par le pas léger, un peu rapide de nos hommes. Nous ne sommes plus habitués à ce rythme, et sans trop nous l'avouer, nous attendons les premiers éclats de cuivre d'une marche lorraine. On a essayé d'appareiller les couleurs de capotes, et ce défilé, bien que modeste, est assez réussi.

Les hommes sont rangés de nouveau devant le monticule de pierres, face au drapeau. Bernard remonte sur les briques, lève les deux bras, réclame le silence, il va parler :

— Il serait imprudent de prolonger davantage ce rassemblement. Quoi qu'il en soit, nous avons vécu une minute unique dont nous pouvons être fiers. Dans peu de temps, nous vivrons encore d'autres minutes exceptionnelles. Préparons-nous à les vivre avec la plus grande application. Je vous demande maintenant de vous disperser dans le plus grand ordre et en silence. De notre attitude dépendra le comportement de ceux qui nous observent. Vive la France... libre!

Le *Sonder-Führer* a grimpé comme un fou sur le mirador le plus proche et, pantin ridicule, lance ses vociférations aiguës d'une voix de châtré en faisant manœuvrer le canon de la mitrailleuse. Nous nous dispersons en silence. Cet imbécile se rengorge, il est persuadé que nous lui avons obéi, et s'attribue le mérite de notre attitude disciplinée.

Dans la foule, monte une chaude voix à l'accent du Midi:

— Viens voir un peu ici si tu es un homme!

On ne peut empêcher la verve méridionale. Chacun s'en va, riant sous cape. Il flotte dans le camp comme un air de farce joyeuse.

L'heure approche! L'heure approche! Maintenant que le tunnel est terminé, je ne tiens plus en place. Cette nuit! Est-ce possible? Nous serons libres! Daniel a du mal aussi à cacher son impatience fébrile.

En prévision de l'effort que j'aurai à fournir ce soir, je me suis allongé sur le bat-flanc et j'ai fermé les yeux. Ainsi donc voici l'heure!

Et je songe à ma vie passée, à cette succession de départs, de fuites, avec la hantise des oiseaux migrateurs qui volent instinctivement à la poursuite d'un idéal de soleil, de vent et d'espace.

Encore une fois j'ai rompu avec ce qui semblait pouvoir devenir une habitude. Combien de fois suis-je parti ainsi sans désir que celui de trancher ma vie d'un coup, de m'évader — toujours ce mot — de ma condition, de chercher ailleurs un autre témoignage. Je pourrai dire ainsi de tout ce que j'ai fait, de tout ce que j'ai entrepris.

Ce n'est pas une nouveauté; mon engagement dans la Légion étrangère, mon mariage, la guerre, ma captivité, mes évasions, autant de départs, de faux départs en réalité car je savais avant le Toubib qu'on ne peut s'évader de sa condition.

Alors pourquoi cet enthousiasme aujourd'hui? Suis-je enfin convaincu d'une évasion définitive, de rompre inexorablement, de sortir enfin de ma peau? Certainement pas. Cela ressemble fort à mes fugues d'hier. J'avais cru aussi que c'était définitif. Rien n'est définitif!

Alors? Alors ce serait Daniel l'unique raison de mon enthousiasme? Il est certain que, sans Daniel, cette évasion serait sans illusions, sachant par avance que rien ne peut combler mon espérance, n'ayant jamais rien désiré vraiment.

Mais lui, que peut-il bien m'apporter de plus? Rien, assurément! Pour une fois, il semble que je n'obéis pas à un désir égoïste mais au contraire à une envie généreuse de donner, de faire un cadeau royal à Daniel: la liberté! Oui, je crois toucher enfin la vérité. De nous tous, n'est-ce pas lui qui a le plus besoin de cette liberté? En l'aidant à prendre un nouveau départ dans cette vie où tout lui est hostile, n'est-ce pas réparer une injustice, entreprendre une action salutaire, faire œuvre utile?

Voici l'important: être utile.

Et soudain tout s'éclaire! Les quelques joies que j'ai connues, les joies les plus pures, je les dois à ces rares instants où j'ai vaguement eu conscience de mon utilité. Témoin ce jour en Mauritanie où je faisais des relevés topographiques. Malgré la précarité des conditions d'existence dans le désert, je garde de ce temps le souvenir d'un vague bonheur où rien, vraiment rien, ne pouvait justifier cet état d'âme sinon l'impression d'être utile en faisant disparaître des cartes un petit coin de la grande tache blanche du désert.

Ce qui importe, ce n'est pas tellement de changer de peau mais de sortir de sa peau, de s'évader de la cellule étroite où l'on est enfermé, de vivre hors de soi, ouvert à tout ce qui est extérieur à soi. Je crois que j'ai fini de m'intéresser à moi-même, d'être poursuivi par mon ombre. Je crois comprendre enfin que le monde autour de moi est cent fois plus intéressant.

L'homme est esclave de sa condition, sans doute, mais il peut s'évader de lui-même, sortir de sa peau, non pour devenir un autre mais pour connaître et comprendre les autres. C'est ainsi qu'on commence à devenir utile.

J'ouvre les yeux avec le sentiment confus d'une présence. Le Toubib est penché sur moi et m'observe.

— Je ne voulais pas te réveiller.

— Je ne dormais pas.

Il s'assied sur le bord du bat-flanc, se gratte l'oreille :

— Alors, ça y est?

— Ça y est.

— En forme?

— Comme ça.

Il se racle bougrement la gorge, sans doute a-t-il quelque chose d'important à me dire.

— C'est bien ça, tu sais ce que tu veux toi, tu sais où tu vas. Quand on porte un nom comme le tien, il n'y a pas de problèmes : la famille, la tradition, la religion, le pays... c'est bien, c'est très bien ça. Le chemin est tout tracé devant toi, tu n'as qu'à le suivre. Quelle sécurité, quelle force!

Je me lève et m'assieds, suffoqué. Ah! non, pas toi, pas toi Lesvain! J'ai envie de lui crier sa méprise. Ce n'est pas possible de se tromper ainsi. Il faut que je lui dise enfin la décision que j'ai prise, et ce que représentent pour moi la liberté, l'évasion.

— Arrête!

Il se retourne vers moi, le sourcil arqué, les yeux ronds d'étonnement. J'ai dû crier sans m'en rendre compte, et mon cri devait être angoissé. Me voici embarrassé devant son regard inquisiteur, son regard de médecin. Ses épaules ont un peu fléchi : le poids de toutes ces responsabilités, tous ces malades qu'il faut soigner sans médicaments. La fatigue a creusé davantage ses joues, le pli de la bouche est amer. Il faut dire quelque chose, n'importe quoi, mais surtout ne pas le décourager :

— Ne dis pas de bêtises, c'est toi la force, notre pilier, notre soutien. Pense à ce que nous serions si tu n'étais pas là. Non seulement tu sais nous soigner sans médicaments, avec des moyens de fortune, mais encore tu nous donnes ce qui est le plus important : le courage et l'espoir, le goût de la lutte. Tu es de ceux qui ne désespèrent jamais. Ta théorie sur la défense de l'espèce, tu sais, c'est la vérité. A quoi sert la métaphysique puisque nous n'y comprendrons jamais rien? Tandis que sauver l'espèce, voilà quelque chose d'utile, de concret, d'indispensable. La nature entière est régie par cette loi. Nous ne pouvons la transgresser, nous n'avons pas le droit de la transgresser. A plus tard la philosophie, l'histoire, les commentaires.

A mesure que je parle, il se redresse, gonfle sa poitrine de lutteur, retrouve son sourire. Se doute-t-il que je lui ressers ses propres formules? Il a surtout besoin de quelqu'un pour l'approuver, pour lui dire qu'il a raison, qu'il ne s'est pas trompé. Pourquoi m'a-t-il cherché, moi, qui ne suis convaincu de rien?

— Tiens, je t'ai apporté quelques médicaments et un peu de sucre. Ça peut être utile pendant l'évasion.

Le voici de nouveau concret. La mouche malsaine du doute s'est enfuie vers d'autres ratiocineurs au cerveau faisandé. Notre Toubib est à nouveau debout, sur ses deux jambes, solide comme une colonne de granit. Je range au fond de mon sac son petit paquet de sucre et de médicaments, la tête longtemps baissée, le regard détourné, un peu pour cacher mon émotion. Je sais que nous vivons là les derniers instants avant une séparation importante, et je suis ému malgré moi.

Cher Toubib, comme il serait bon de l'avoir près de soi dans cette nouvelle aventure. Sans doute qu'il doit regretter lui aussi de ne pouvoir partir. Mais les liens qui le retiennent sont de ceux qu'on ne peut briser. Allons, il faut nous séparer. Impossible d'échapper à sa poigne, nous sommes de nouveau face à face.

— Merci pour ce que tu viens de me dire.

— C'est moi qui te remercie pour tout ce que tu fais.

Nous nous secouons l'épaule un moment sans parler, et je remarque, avec un léger serrement au cœur, qu'il a l'œil brillant. Voilà, ça y est! Il a sauté prestement du bat-flanc, et s'en va de sa démarche souple, interrogeant l'un, l'autre, plaisantant avec l'un, avec l'autre, déjà préoccupé des autres.

— Allez-y!

Les hommes s'engagent dans le souterrain avec la précipitation et l'énervement compréhensibles des grands départs. L'œil accolé à la fente du volet de la fenêtre, je suis le mouvement de la sentinelle. La nuit est sombre. Il faut une attention décuplée pour ne pas perdre de vue cette ombre noyée dans la nuit.

Douze minutes! J'ai bien compté. L'aller et le retour de la sentinelle est minutieusement chronométré. Douze minutes pendant lesquelles les hommes tassés dans le souterrain doivent bondir les uns à la suite des autres et disparaître dans le petit bois voisin. Etant donné que je pars le dernier, je dispose donc exactement de douze minutes pour m'engager dans le tunnel, le parcourir, sortir et m'éloigner le plus possible dans la nuit. Quelques secondes de retard et je risque d'être vu, de donner l'alerte, de faire déclencher les patrouilles mobiles prêtes en un clin d'œil à battre les alentours du camp. Comme tout cela est exaltant!

23 h 16, 23 h 17, 23 h 18... La sentinelle a disparu dans la nuit. Ouvrons l'œil! Ce n'est pas le moment de se tromper. Notre vie en dépend. Tous s'en remettent à moi. Bernard, Gérard, Delarue, Martinez, Roux, Pelletier, Mercier, Richard, Prince... d'autres et puis Barges sont là, accroupis, les uns contre les autres, à demi asphyxiés, attendant le signal qui doit se transmettre par une tape de l'un à l'autre, pour soulever le toit de planches et de terre qui camoufle la sortie, et fuir.

Notre mission a été clairement précisée en ses différents points : joindre les partisans, établir un réseau d'évasions, informer les Alliés de notre situation, tenter avec l'armée de la résistance une action concertée pour libérer le camp.

Nous avons été répartis en trois groupes avec trois itinéraires différents. Pour le nôtre, il s'agit de gagner les Carpates au plus court, par la plaine et la vallée du Dniester.

Si à première vue cette route semble la plus directe et la plus facile, la difficulté au départ est nettement apparue à chacun d'entre nous. Il s'agit en effet de contourner le camp sur un terrain absolument découvert alors que les autres groupes peuvent, aussitôt après avoir franchi les barbelés, se déplacer à l'abri d'un bois.

Je ne suis pas mécontent que le sort ait désigné notre groupe pour l'itinéraire le plus délicat, tout au moins au départ. Sans bien savoir exactement pourquoi j'augure un bon présage de cette conjoncture. Et puis la difficulté mise à part, ce chemin je le connais bien, je l'ai parfaitement étudié sur la carte, ses repères me sont familiers.

23 h 22. Encore cinq minutes avant d'apercevoir de nouveau la sentinelle. On m'avertit derrière moi :

— Ils sont prêts. Tout va bien.

23 h 23... Une main se pose sur mon épaule. Je tressaille. Daniel!

— Qu'est-ce que tu fais là?

— Je t'attends.

— Tu es fou, descends!

— Je descendrai avec toi.

Je le regarde. Son visage est tellement pâle qu'il fait un halo clair dans la pénombre.

— Ça ne va pas?

— Ce n'est rien.

— Tu trembles?

— L'énervement... Ça ne t'ennuie pas de faire équipe avec moi?

— Non. Pourquoi?

J'entends derrière moi sa respiration oppressée.

— Tu sais Jo... Je ne me suis jamais évadé... C'est ma première évasion. On m'a envoyé ici parce que... parce que je me suis bagarré avec un schleuh... pour des choses dégueulasses. Mais je ne suis pas un dégonflé...

— Ce n'est pas le moment de raconter ta vie. Descends, dépêche-toi!

Je sens la pression de sa main sur mon épaule, puis j'entends le choc sourd quand il saute dans le trou du souterrain.

O folie! folie! Je dois sortir le dernier, je fais partie de l'équipe pour qui le sort a désigné le chemin le plus difficile et j'ai choisi comme équipier le moins expérimenté d'entre nous! Mais la vie serait vite insipide sans folie! Et puis je n'ai pas le temps d'épiloguer. Et puis, et puis, Daniel est mon ami, ne suis-je pas heureux de partir avec lui? Sur mon épaule, je sens encore la chaleur tiède de sa main...

23 h 27... Je colle mon œil à la rainure. Ah! Ah! voici la sentinelle! Et mon cœur bat plus vite, à coups redoublés. Le *posten* a mis onze minutes. Onze minutes seulement pour faire l'aller et retour, c'est peu! La marge est encore réduite. Est-ce que nous aurons le temps? En bas, sous les

pieds mêmes du *wachmann*, les hommes attendent, retenant leur souffle.

Le garde jette un regard sur les barbelés, piétine
un peu sur place, fait demi-tour, et s'en va tran-
quillement de son pas de sentinelle. Je vois son
ombre décroître peu à peu et disparaître.

— Allez! hop!

Dans le souterrain, c'est une précipitation
confuse avec des à-coups, des arrêts qui n'en
finissent plus. Comme convenu, ils doivent sortir à
tour de rôle selon les groupes constitués, avec des
intervalles de quinze secondes. Ces quinze secondes à attendre avant que le mouvement reprenne
sont interminables. De temps en temps ma main
se pose sur une jambe qui fuit, la jambe de Daniel.

Ma tête cogne contre une planche. L'étayage n'a
pas résisté à la bousculade. Je suis obligé d'avancer en rampant. Et voici que mon sac accroche.
J'ai du mal à le décrocher, d'une main, à tâtons,
et finalement je le tire derrière moi.

A la sortie, je bute contre Daniel qui, accroupi,
la tête hors du trou, observe dehors.

— Ça va?

— Ça va.

— Allez va! Dépêche-toi!

Il fait un saut avec un rétablissement sur les
poignets et sort en rampant. Je lui passe mon sac.

A mon tour, j'engage la tête dans le trou. La nuit est noire. Il pleut, une petite pluie fine, entêtée et persistante. On ne voit rien, absolument rien, c'est tout juste si l'on devine plutôt qu'on ne distingue les poteaux de l'enceinte du camp et, à gauche, une masse un peu plus sombre, le bois sans doute.

Je sors et on s'emploie aussitôt à refermer rapidement le trou avec le couvercle en planches, et nous remettons de la terre par-dessus. Il a été convenu qu'en cas de reprise, nous ne devrions pas parler du souterrain pour en laisser l'utilisation toujours possible, mais donner une version unanime d'une sortie en masse par la porte du camp pendant un petit somme de la sentinelle. Cette explication, quoique un peu osée de prime abord, s'avère plausible à la réflexion; nous en avons fait avaler d'autres à nos garde-chiourme. Et puis, elle offre en plus l'avantage appréciable de ne mettre en cause que nos gardiens, qui se débrouilleront avec leurs chefs comme ils pourront.

Nous tournons le dos à la forêt hospitalière, avec un petit serrement de cœur, et nous fonçons à travers champs, dans une boue qui nous englue jusqu'à la cheville.

Il s'agit de contourner le camp d'assez loin, de traverser la route qui mène à l'entrée, puis d'éviter la ville en la serrant de près jusqu'à la voie de chemin de fer où nous devons retrouver les camarades de notre groupe. Là, nous gagnerons le large à travers la plaine en direction du sud-est. J'ai suffisamment eu le temps d'admirer le paysage en trimbalant les traverses pour ne pas craindre de surprises de ce côté. La plaine s'étend à l'infini sans agglomérations visibles dans la direction que nous devons prendre. Peut-être rencontrerons-nous des marais, mais nous verrons bien sur place.

Nous avançons rapidement, à grandes enjambées, un peu courbés sous la pluie, le regard attentif à tout ce qui paraît insolite. Parfois, je m'arrête net, intrigué par une forme étrange qui se dresse devant moi, et Daniel, non prévenu, me cogne brutalement dans le dos. Après quelques secondes d'observation aiguë, tous les sens tendus au paroxysme, on s'aperçoit qu'il s'agit d'un buisson ayant une vague apparence humaine.

Voici la route, que l'on reconnaît à une blancheur diffuse. Nous nous arrêtons un moment avant de passer pour l'observer. L'entrée du camp doit se trouver à quelques centaines de mètres à notre droite, mais nous ne distinguons rien dans la nuit épaisse. Le silence est total si l'on excepte le froissement léger de la pluie qui ne cesse de tomber.

Et tout à coup, une détonation brutale nous fait sursauter. Il s'agit sans doute d'un coup de fusil. La déflagration semble nous parvenir d'assez loin, à moins que la pluie et les nuages nous donnent cette impression en étouffant le bruit. Nous écoutons, perplexes, et soudain, un nouveau coup de feu claque, plus rapproché cette fois. Nous prêtons l'oreille, mais nous n'entendons rien d'autre. Daniel commence à s'impatienter. Il me souffle dans le cou :

— Il faut passer. Ça va mal!

— Chut!

Je voudrais savoir de quoi il retourne. Il m'a semblé entendre des cris, mais Daniel n'a rien entendu. C'est peut-être une illusion.

Et voici que nous apercevons un crépitement d'étincelles, et aussitôt nous parviennent les claquements secs et répétés d'une mitrailleuse. Cette fois, cela devient sérieux. Un projecteur s'allume, puis un autre, éclairant les barbelés du camp. Mais nous sommes tout près de l'entrée! J'ai dû me tromper dans mon évaluation. Pour un peu nous nous retrouvions devant le poste de garde. Je donne un coup de coude à Daniel :

— Suis-moi!

Nous nous élançons à toute vitesse, nous traversons la route, nous courons à perdre haleine en nous éloignant le plus possible du champ des projecteurs. Tous les miradors étincellent de feux, et je n'ose pas me demander ce qu'il peut arriver si nous sommes pris dans les faisceaux lumineux.

A bout de force, nous culbutons dans un fossé, et nous restons là, la tête presque noyée dans une boue gluante, la bouche ouverte, la respiration sifflante, essayant de reprendre souffle. Mon sang bat dans ma poitrine à grands coups, et j'entends tout près de moi le cœur affolé de Daniel.

Au bout d'un instant, je risque un œil. La fusillade continue, mais il semble qu'elle se soit localisée de l'autre côté du camp, vers le bois. A la porte, les faisceaux lumineux balayent les abords, mais on ne tire pas. Nous apercevons nettement une patrouille sortir du camp en courant et se diriger vers le bois. On entend très distinctement les piétinements lourds dans la boue. Des bruits confus nous parviennent : des cris, des ordres gutturaux et, de temps en temps, le claquement sec d'un coup de feu.

Nous nous arrachons à la boue, et nous nous remettons en marche d'un pas rapide, jetant sans cesse des coups d'œil en arrière. Pour nous, sinon pour nos pauvres camarades, hélas! les lumières du camp nous sont utiles, elles permettent de nous orienter.

Tout à coup, le mugissement exaspéré d'une sirène retentit à notre gauche. On a donné l'alerte en ville. Nous sommes de nouveau arrêtés, indécis. Que faire? Faut-il gagner immédiatement la voie de chemin de fer pour rejoindre nos camarades au risque de se faire prendre, ou bien s'éloigner le plus possible quitte à revenir un peu plus tard au lieu du rendez-vous? Nous optons pour cette dernière solution, mais ne risquons-nous pas ensuite de ne plus retrouver nos camarades?

Nous repartons au petit trot. Il faut traverser des haies, sauter par-dessus des barrières, enjamber des fossés. Un moment, nous longeons un bâtiment de ferme, et des petites fenêtres ouvertes nous parvient une chaude odeur d'étable. Nos pas ont réveillé un cheval qui piaffe et pousse un léger hennissement. Plus loin la campagne est libre. Nous faisons un long détour...

Enfin le calme semble être revenu. Nous obliquons vers la gauche et bientôt nous distinguons une masse plus sombre, le remblai, la ligne de chemin de fer! Nous suivons la voie qui s'incurve légèrement vers la ville. J'ai l'impression de revenir sur mes pas. Mais que faire? Daniel marche en avant maintenant, et court presque. Il fait un vacarme ahurissant sur le ballast, et je suis obligé de lui courir derrière et de le pousser sur le chemin de terre à côté, moins sonore.

Le remblai commence à s'élargir, les voies se multiplient, les signaux aux ampoules bleutées sur les potences métalliques éclairent faiblement, nous entrons en gare. Devant le poste d'aiguillage que nous connaissons bien, un rai de lumière filtre au-dessous du panneau noir de défense passive mal ajusté. Nous avons reconnu les lieux, et d'un commun accord, nous obliquons vers le chantier des traverses en enjambant les voies. Voici le premier tas, le deuxième, le troisième... Daniel se précipite. Je l'entends appeler à mi-voix :

— Hé! les gars! Vous êtes là?

Mais personne ne répond.

— Ils ne sont pas là.

— Ils ont dû se faire prendre.

— Mais non, ils ont peut-être fait un détour comme nous.

Nous restons un long moment silencieux, accoudés sur le tas de traverses. La pluie continue de tomber lentement et nous dégouline dans le cou. Tout est redevenu calme, nous n'entendons plus rien que ce léger crépitement de la pluie sur le bois des traverses.

Il faut prendre une décision. Nous ne pouvons rester ainsi indéfiniment.

— Ils ont dû partir après nous avoir attendus un

moment.

— Tu crois?

— J'en suis sûr.

— Alors tant pis, il faut y aller.

— Allons-y!

Nous remettons nos sacs sur le dos et nous repartons dans la nuit, toujours sous la même pluie fine, obstinée. Devant nous le vide noir de la plaine. La liberté. La liberté? Je n'ose encore y croire.

VI

Je porte en moi tout un orchestre qui joue une ample symphonie aux vibrations larges et profondes, scandée par les cordes graves de mes pas. De temps en temps, un hautbois reprend, en variation, à un octave plus élevé, cet air de Daniel, impossible à identifier, comme une pensée lointaine, obsédante et triste.

Et la marche m'emporte, rythmée par le battement sourd des timbales : boum, bam, boum, bam, boum, bam, et dans cette nuit frémissante, je ne distingue plus si je porte en moi cette musique ou si c'est la musique qui me porte.

Notre pas a pris le rythme lent et régulier des caravanes, des longs exodes, de la marche inéluctable qui conduit sans impatience à une lointaine terre promise.

Qu'importe le vide du paysage, l'encre indélébile de la nuit, l'espace insondable! Quelque part, devant, luit cette étoile de notre espoir qui nous montre le chemin.

Et des visages soudain s'éclairent dans la nuit. C'est d'abord le petit nez d'Annick, sa bouche qui sourit douloureusement et les lacs brumeux de ses yeux: «Je t'attends, viens vite!». Allons, ce n'est pas mon retour que j'entreprends mais une évasion, une évasion bien difficile!

Le nez bourbonnien de mon père a pris place dans le cadre de famille. Les paupières plissées, la bouche gourmande sous la fine moustache, le double menton illustrent son apophtegme favori: la vie est faite pour être vécue, ce qui, sous forme de lapalissade, dit bien ce que cela veut dire. Je le renvoie à ses bécassines faisandées, à ses filles de ferme, à ses reliures armoriées. C'est fait! J'ai coupé le cordon ombilical et envoyé la bouteille de Pommery Greno brut sur ma figure de proue. Le navire est lancé!

Le Toubib marche derrière moi, tenant l'autre bout de la corde; il n'a pas lâché l'amarre lui non plus. Il me fait un petit geste affectueux de la main et sourit avec bonheur de sa manière inimitable. «Ta mission à toi, c'est une mission de confiance.» Ouais! Je saurai rompre également cette corde d'abordage, et arracher mes écussons sur le col de ma vareuse, et n'être plus rien pour personne. Je suis déserteur, mon pauvre toubib, un déserteur invétéré.

— Jo, on s'arrête un peu?

Daniel est là. Il est bien là. C'est bien lui, cette ombre chaude qui sent le chien mouillé.

— Oui, on va s'arrêter. Tu en as marre?

— C'est pas ça. Mais j'ai ma godasse qui déconne et je dois avoir un pied qui fleurit.

Pendant que Daniel s'escrime avec sa chaussure, je fais une petite reconnaissance aux alentours. Il m'a semblé entendre le clapotis clair d'un ruisseau. Bien que je sois trempé jusqu'aux os, j'ai un feu ardent qui me brûle les poumons. En me guidant sur les accords de cette mélodie fluette, je plonge bientôt dedans à pieds joints. C'est mieux qu'un ruisseau, c'est une cressonnière. Il y a à boire et à manger. Je m'enivre d'eau et de cresson, puis encore d'eau et encore de cresson, tout en appelant Daniel, la bouche pleine.

— Viens donc! A la soupe!

Nous barbotons comme deux canards, plongeant la tête dans l'eau, happant les herbes aromatisées, nous ébrouant, nous lavant de la crasse déposée par des mois de captivité. Nous voici propres comme deux sous neufs. Et, prévoyant des lendemains moins fastes, nous transformons nos sacs en hottes à cresson.

Il est temps de reprendre la route. A l'orient, le ciel vire au gris laiteux, et le contour des ombres se dessine. Il faut atteindre avant le jour ce nuage noir à la crête dentelée, qui pourrait bien être une forêt. Daniel, que je vois maintenant près de moi, ombre claudicante comme ma conscience boiteuse, m'interroge :

— Où allons-nous comme ça?

— Vers les Carpates!

— Tu en es sûr?

— Absolument.

Quand nous entrons dans la féerie des odeurs sylvestres, le jour se lève et découvre derrière nous une plaine indécise, brumeuse, monotone, vide de vie : notre marche de la nuit.

Une sapinière offre un abri tiède, épais, odorant. Si l'on prend soin de couper quelques branches de sapin et de les disposer en claies au-dessus de la tête, on obtient une tanière confortable où il fait bon dormir.

Nous nous couchons dans cette couche étroite matelassée d'aiguilles de sapins, et après avoir réglé méticuleusement le tour de garde, nous plongeons tous les deux dans un sommeil profond mais agité. Je fuis dans une galopade impossible au milieu des ronces, tandis que des mitrailleuses monstrueuses, articulées comme des tripodes martiens, me poursuivent en ricanant.

Par moments, des bris de branches, les piétinements d'une course effrénée, des aboiements furieux nous réveillent en sursaut; nous ne sommes pas encore familiarisés avec les mœurs des renards, et nous croyons toujours avoir affaire à des chiens lancés à notre poursuite.

O délicieuse quiétude de la forêt, comme nous te savourons! Comme nous voudrions rester indéfiniment sous tes frondaisons épaisses qui nous enveloppent si chaudement et nous cachent! Peu à peu la crainte disparaît et fait place à une inconscience confiante. Nous apprenons à déchiffrer tous les bruits. Nous ne confondons plus l'éclatement d'une branche pourrie qui tombe au fracas d'un brocard qui veut atteindre les hautes feuilles. Et que de ressources pour notre table, depuis la délicieuse fraise des bois, odorante et sucrée, jusqu'au cèpe agréablement musqué!

Nous avons profité d'un rayon de soleil pour nous déshabiller et nous sécher. Au milieu d'une étroite clairière, bien abritée, nous avons étalé nos hardes. Le tableau est amusant, et rappelle un étalage de marché aux puces. L'humidité a fait des ravages. Le sucre du Toubib a fondu. Les quelques biscuits que nous avions sont transformés en panade. Le paquet de tabac est devenu une mousse spongieuse, et les feuilles de papier à cigarette, une boule de papier mâché.

J'avais tracé, avant de partir, mon itinéraire sur le verso de la lettre d'Annick. Mais l'eau a délavé le crayon déjà faible, et le plan est illisible. Par contre, l'intérieur du papier, mieux protégé, conserve encore des phrases entières, parfaitement lisibles : « Je sais que tu reviendras... ». J'ai de la peine à me séparer de cette lettre, et je la mets également à sécher au soleil, avec un petit caillou à chaque coin.

— Comment vas-tu faire maintenant pour trouver le chemin?

— Nous demanderons.

— Nous demanderons?

— Oui, il n'y a pas d'autre solution.

— Mais il faut trouver quelqu'un à qui demander!

— C'est cela, il faut trouver quelqu'un. Nous allons le chercher.

Chaque nouvelle mise en route est pour Daniel un véritable supplice. Le contrefort de sa chaussure est cassé, et le frottement, en provoquant des ampoules forcées, a ouvert une plaie vive qui le fait particulièrement souffrir. Il essaie bien d'y remédier en maintenant la semelle avec son mouchoir noué au-dessus de la cheville, mais rapidement le nœud se détend, le lien se relâche, et le frottement recommence. A la longue cependant, le pied s'échauffe et devient presque indolore.

Cette fois, j'ai le soleil pour m'orienter. Il fait de courtes apparitions entre les nuages, et j'en profite pour faire le point. Si je me souviens bien du plan, cette forêt était indiquée par une bande étroite du nord au sud. En marchant vers l'est, on doit inévitablement la traverser.

Un chevreuil détale d'un buisson tout près de moi. Le moment de surprise passé, je lance mon bâton, mais trop tard. Et maintenant j'avance, davantage attentif au gibier qu'au danger éventuel d'une rencontre avec des hommes. D'ailleurs nous n'avons aperçu encore âme qui vive. C'est à croire que cette région est inhabitée.

La question du ravitaillement s'inscrit à l'ordre du jour. Nous avons faim. En effet, notre estomac s'est vite habitué aux orgies de cresson, de fraises et de champignons, et réclame chaque fois davantage. Tout en lorgnant les buissons, je me demande comment nous pourrions accommoder notre prise éventuelle. Nos allumettes humides sont inutilisables, et quand bien même le seraient-elles, nous ne pouvons allumer un feu, ce serait signaler notre présence avec autant d'efficacité qu'un débuché à la trompe de chasse.

Quand nous arrivons à la lisière, de l'autre côté de la forêt, il fait encore jour. Nous nous déplaçons prudemment derrière les taillis pour observer la plaine devant nous, une plaine qui se creuse comme une cuvette avec au fond la mousse d'une brume légère. Cette région, plus fertile que le plateau que nous venons de traverser, est plus habitée aussi. On devine au loin une route à la ligne de poteaux téléphoniques.

Nous décidons de suivre la lisière de la forêt en marchant à l'abri des arbres. Des coupes récentes de bois, des stères fraîchement entassés, nous obligent à redoubler de prudence. Et voici que nous apercevons un hameau d'une dizaine de maisons, lové en rond dans le creux d'une vallée. Des taillis prolongent la forêt à flanc de coteau. Il doit être facile d'avancer jusque-là et d'observer de près les mœurs de ce village.

En contournant le haut de la vallée, nous sommes frappés brusquement par une odeur nouvelle que la brise nous lance au visage, un mélange définissable d'étables, de soupe aux choux et de lessive : l'odeur des hommes.

La maison la plus proche est là, tout contre la forêt, avec son jardinet, sa clôture de guingois, ses murs de torchis aux poutres apparentes, son toit de chaume. Quelques poules picorent alentour. Nous distinguons sous un appentis des cabanes à lapins, mais nous ne voyons personne. Les hôtes sont peut-être partis aux champs? Et nous sommes hantés par une envie folle de courir jusqu'à la maison, de pousser la porte et de nous emparer de tout ce qui est comestible. La pudeur nous retient. Ce qui, en pays ennemi, serait un acte de résistance, devient chez ces pauvres gens, oppressés par l'occupation, un vol sans gloire.

Tout à coup la porte s'ouvre, une femme sort avec un panier au bras. Elle va à l'appentis, remplit son panier de bûches, et rentre de nouveau. Elle est peut-être seule? Si nous tentions quelque chose? Et aussitôt nous élaborons un plan. Nous allons nous présenter, décliner nos qualités, et tendre la main comme d'honnêtes mendiants. Si nous sentons la moindre hostilité, nous décampons à toutes jambes en emportant tout ce qui est comestible à portée de la main. Aucun scrupule alors; ce qui nous est hostile, nous est ennemi.

Mais voici que la femme sort de nouveau avec un panier, va au fond du jardin, se penche sur un carré de carottes, arrache les légumes et remplit son panier. D'un coup d'œil nous nous sommes compris. Nous effectuons un mouvement tournant pour arriver de face, et Daniel, de sa voix la plus charmante appelle :

— Hep! *pani! pani!*

Elle n'entend rien! A mon tour, j'essaie en élevant le ton d'être plus convaincant :

— Ho! *pani! pani!*

Cette fois elle a entendu. L'effet dépasse toutes nos prévisions. Elle pousse un cri de terreur et s'enfuit affolée vers la maison en abandonnant ses carottes. Nous opérons un repli stratégique vers les taillis sans oublier d'emporter le panier à légumes que nous considérons comme butin de guerre, et nous observons. Ou bien elle va donner l'alerte, et il ne nous restera plus qu'à vider les lieux le plus rapidement possible par crainte d'une battue monstre de la feldgendarmerie pour récupérer le panier à carottes. Ou bien, elle va revenir chercher son panier, et nous essaierons une tentative de conciliation avec si possible une attitude plus pacifique.

A plusieurs reprises nous voyons bouger le rideau de la fenêtre mais la porte reste toujours close. Nous sommes décidés à tenir le siège, et nous nous installons confortablement en prenant un léger acompte sur les carottes.

Au bout d'un temps assez long, la situation restant inchangée, notre butin s'amenuisant de plus en plus, nous décidons de passer à l'action. Daniel propose :

— Si on y allait?

— C'est une idée.

— Elle est peut être seule.

— Nous ne risquons rien d'une femme seule.

— Et puis, il sera toujours temps de déguerpir si elle crie.

— Oui.

— D'ailleurs, nous lui ferons comprendre que nous ne voulons pas lui faire du mal.

— C'est simple.

— Alors?

— Allons-y!

Je pousse Daniel en avant car il a tout de même une barbe moins fournie que la mienne. Avec son visage d'enfant triste, il doit inspirer plutôt la compassion que la crainte. Daniel brandit le panier avec un sourire engageant comme s'il venait tout simplement restituer un objet oublié.

O miracle! La fenêtre s'ouvre. Mais c'est une vieille femme toute ridée qui apparaît et non plus la grosse jardinière.

— *Co wy checcie?*

Daniel débite d'une seule traite, sans respirer, tout son vocabulaire :

— *Dobre pani, dobre camarade, genfangen Francuz partaza, jeze, jeze, rozumie?*

Le visage de la vieille s'éclaire. Elle se tourne

vers l'autre femme et prononce avec des yeux extasiés le mot magique

— *Francuz!*

Je crois que nous avons trouvé là le « Sésame-ouvre-toi ». En effet, la porte est tirée toute grande, et d'un geste large, la brave femme nous fait signe d'entrer.

Nous entrons. Est-il nécessaire de dire l'émotion qui nous étreint? Une maison, c'est quelque chose! Ces murs qui abritent une famille depuis des années, ces odeurs accumulées toujours semblables à elles-mêmes et qui ne se renient jamais, ces meubles nets, astiqués, définitivement à leur place, sans crainte de mutation, le napperon bien tiré sur la table, la photo jaunie du militaire, mort depuis longtemps, le portrait de la jeune mariée devenue grand-mère, la pendule qui a renoncé à compter le temps et qui indique définitivement onze heures trente, comme tout cela est attendrissant!

Nous écoutons avec respect, sans comprendre mais devinant le sens, cinquante ans d'histoire de la famille, tout en nous efforçant de conserver le maximum de distinction en engouffrant lard, pommes de terre, soupe et choux.

Au dessert, il faut à notre tour raconter notre histoire. Cela consiste à répondre par oui ou non à un questionnaire serré dont nous ne comprenons goutte. L'expression du visage nous guide sur le sens positif ou négatif à donner à notre réponse. Quand par hasard un oui déclenche une consternation générale, ou bien un étonnement exagéré, nous nous empressons de rectifier par un non qui aussitôt ramène la sérénité sur les visages.

Soudain on s'agite. Le mot *Francuz* revient souvent dans l'échange rapide de paroles entre les deux femmes. Décidément ce mot est la clé de la conversation. La femme la moins âgée, qu'on suppose être la fille, noue son fichu et se précipite dehors avec des airs mystérieux. Nous nous regardons, Daniel et moi, sans comprendre. Est-ce qu'il y aurait d'autres Français dans le village? Un espoir immense s'empare de nous. Allons-nous voir apparaître Bernard et Mercier, Renaud et Girard ou toute autre équipe de notre groupe? Nous avons marché beaucoup plus au sud, et notre itinéraire ne coïncide pas avec le leur, mais sait-on jamais? Quelle joie serait de les retrouver, d'avoir des nouvelles, d'apprendre enfin ce qu'il s'est passé!

La femme revient et fait entrer en grand mystère un petit vieux au visage glabre, maigre, sec, serré dans une sorte de redingote boutonnée jusqu'au col. Il avance à petits pas, raide comme un pantin articulé, et se casse en deux pour saluer:

— Messieurs français, je salue!

Il parle un français assez clair avec une bonne pointe d'accent slave. Ses mains fines et pâles, longues et distinguées, voltigent comme des papillons légers.

— Je suis instituteur dans district. Je nomme moi Pétrenko. J'aime beaucoup France et Français. Si je peux aider vous, je fais.

Il sort des cigarettes. Nous fumons, sans nous étonner davantage de ce bien-être inattendu. Sa voix ronronnante nous berce. Et la fatigue, et le repas aidant, je me sens quant à moi envahi par une douce torpeur.

— Vous allez venir dans maison à moi. Ces dames beaucoup peureuses des Allemands, eux tellement souvent ici. Maison près forêt, partisans venir ici chercher nourriture.

— Savez-vous où se trouvent les partisans? Nous voudrions les joindre.

— Partisans, il y a partout. Ici partisans hongrois. Au nord partisans aussi hongrois mais communistes. Quand ils font pas guerre aux Allemands, ils font guerre entre eux. S'appelle entraînement. De l'autre côté, partisans polonais, armée de Koralski. Quels partisans vous parler?

— Des Polonais.

Il a son visage qui rayonne:

— Polonais bons, très bons. Allemands avoir

peur.

— Alors vous pouvez nous indiquer le chemin?

Décidément, Daniel a de la suite dans les idées.

— Possible. Je vais indiquer chemin. Mais voulez-vous, s'il vous plaît, venir dans maison à moi, ici pas bon pour vous.

Au moment de se lever, Daniel a une défaillance. Ce pied qu'il avait oublié se manifeste brutalement par une douleur lancinante, qui l'empêche de marcher. Il enlève sa chaussure. A la vue de ce pied tuméfié, les femmes poussent des cris apitoyés. On s'empresse, on apporte de l'eau chaude, on lui lave les plaies, on les enduit de pommade, on enveloppe son pied dans des linges. Daniel sourit aux anges.

Nous profitons de la nuit, juste avant le couvre-feu, pour partir chez notre nouvel hôte, après avoir longuement remercié nos deux braves femmes qui, malgré le danger que nous présentons pour elles, ne sont plus pressées de nous chasser. Elles nous comblent de toutes les richesses dont elles peuvent disposer, au prix, sans doute, de gros sacrifices. Nos sacs sont bourrés de pommes de terre, d'œufs durs, préparés spécialement pour nous. Elles nous donnent encore une miche de pain, et comme je leur propose ma montre pour les dédommager, elles font de grands gestes de protestations et nous poussent gentiment vers la porte.

— *Niech Boze cie uchowaj!*

La vieille femme nous fait un dernier signe de croix sur le front, et nous voici dehors.

La maison de Pétrenko, que nous gagnons après un long détour, est retirée à l'autre bout du village.

Après avoir fermé hermétiquement les volets et mis le panneau de défense passive, il allume une bougie, et nous sommes stupéfaits par cet étrange capharnaüm qui s'éclaire doucement autour de nous.

La chambre exiguë est dans un désordre indescriptible qui rappelle à la fois le débarras où s'entassent les objets les plus hétéroclites, et le bric-à-brac de l'antiquaire. Les murs sont tapissés de dessins, de tableaux, de croquis, d'esquisses. Ils jonchent également les meubles épars, le divan, le parquet, la table. Des poteries peintes de toutes formes et de toutes dimensions se partagent le reste de la place avec des livres qui s'entassent dans tous les coins.

— Pas vous étonner, c'est chambre de travail à moi.

Il débarrasse le divan et nous fait asseoir.

— On peut parler ici, personne entend.

Je regarde les tableaux. Ils sont intéressants. On retrouve sur tous la même recherche, un peu laborieuse, d'une extravagance de forme, mais la poésie baigne le tout de son eau limpide et fraîche et fait passer ce qu'il peut y avoir d'un peu outré dans la manière d'exprimer.

— Vous aimez aussi peinture?

— Beaucoup.

Je lui explique que j'ai suivi les cours des Beaux-Arts, que je cherche depuis longtemps une forme d'expression, mais que rien ne me satisfait. Il est difficile de trouver l'harmonie, l'accord parfait, ce qui semble être l'assise de l'art, pour pouvoir bâtir là-dessus et construire.

Il a un sourire d'initié :

— Avec des arbres, de l'eau et du ciel, on peut faire.

— Et des pierres.

En effet, les pierres sont immuables, elles apportent leur pesanteur à tout ce qui est fluide, léger et qui passe. Il concède finalement :

— Vous avez raison, les pierres c'est aussi bon.

La difficulté n'est pas là. Si l'accord se rencontre parfois dans la nature, combien il est difficile d'incorporer l'homme! Il semble que l'homme soit un intrus sur terre. Regardez-le au milieu de la nature, il choque toujours.

Le vieux bonhomme a sorti une bouteille d'eau-de-vie. C'est épouvantable à boire, un métal en fusion qui vous brûle le gosier, mais je suis noyé dans une délicieuse béatitude. La fatigue a fondu. Je n'ose remuer mes jambes de plomb. Il semble que mon esprit se détache de mon corps monolithique et que léger, impalpable, immatériel, il se déplace à une vitesse incommensurable dans l'espace et dans le temps.

Daniel est allongé sur le divan pour reposer sa jambe. Pétrenko lui secoue l'épaule affectueusement :

— Vous allez trouver partisans!

Il a un gros éclat de rire :

— Moi accompagner vous. Ah! ah! ah! Moi content, très content avec Français!

Et de nouveau les verres sont remplis ras bord. Sans transition, il se tourne vers moi et m'interroge sur la musique :

— Connaissez-vous Berlioz? Très bon Berlioz, prima musicien. Tra la la la, la, la, la, la, la, la, la, la...

Il interprète fort bien l'air de *Méphisto* de la *Damnation de Faust*. Aussitôt, j'enchaîne sur la *Symphonie Fantastique*, et nous voici, bras en l'air, battant la mesure, une baguette invisible à la main. Nous devons avoir l'air très drôle car Daniel rit aux éclats.

Après Berlioz, c'est Chopin. Le chef d'orchestre

se fait léger, gracieux, vaporeux, lève ses bras avec préciosité. Nous nous sentons emportés dans une valse romantique, froufroutante et mélancolique.

Une nouvelle rasade pour nous regaillardir, et nous entamons le sérieux. Pan, pan, pan, pan! La *Cinquième Symphonie* éclate avec tous ses cuivres. Nous battons la mesure en nous regardant farouchement, le cheveu en bataille, le regard inspiré, imprégnés l'un et l'autre de la grandeur humaine. Nous alternons les variations, reprenant le motif, en imitant tantôt la clarinette, tantôt la contrebasse, tantôt les violons, tantôt la trompette. Daniel fait les timbales en cognant à tour de bras sur la porte de l'armoire à sa portée.

Je me demande ce qui arriverait si une patrouille de la Wehrmacht rôdait par là. Cet hommage à Beethoven serait-il suffisant pour les attendrir? Prudent tout de même, malgré l'effet euphorique de l'alcool, je fais signe de baisser le ton. Nous nous arrêtons exténués et nous plongeons dans nos verres. Derniers plongeons en vérité dans une mer épaisse, profonde et noire, agitée de sensations chaudes et irisées.

TROISIÈME PARTIE

I

*Notre gourde était là sur
le même côté
Et nous buvions souvent
ensemble à chaque halte.
Nos chemins conduisaient
tous à la liberté,
Mais nous marchions
sans hâte.*

Le rideau sombre des sapins s'ouvre sur un ciel d'étoiles. La nuit, la nuit amie est tout autour de nous. Les rochers prennent parfois l'allure inquiétante de guetteurs accroupis. Mais nous les connaissons. En bas, la vallée large comme une mer s'étend sous une fine mousse de brume. Et la rivière, sinueuse, pâle, déserte et solennelle, pareille à un fleuve important aux confins d'une frontière, étale en transparence sa blancheur laiteuse sous la dentelle noire des peupliers.

Plus loin, au sommet d'un promontoire rocheux pour un décor de Walkyries, se dresse la forteresse de Kolstow.

Kolstow, ce n'est jamais que les ruines d'une ancienne ferme fortifiée aménagée en forteresse par les Allemands. Mais pour nous, ce nom sonne comme un cri de guerre. Les Ukrainiens ont intercepté un de nos convois d'armes lors d'un parachutage anglais, et Koralski ne leur pardonne pas. Pour se venger et leur jouer un tour à sa façon, il a jeté son dévolu sur Kolstow où les S.S. ukrainiens tiennent garnison.

Encore une fois, je parcours d'un regard aigu mon secteur d'opération : la descente rapide le long de la lisière des sapins, la remontée lente derrière un pli de terrain, puis la progression presque à découvert, en rampant entre les maigres taillis, pour atteindre le mur par-derrière où doit se tenir certainement une sentinelle.

Pétrovski me souffle en me tirant le bras :

— *Janek! Dobre?*

— Attends!

Oui, attends! Je ne suis pas certain que nous soyons seuls à épier cette nuit. Il m'a semblé voir tout à l'heure des ombres bouger sur la route. Elles ont disparu maintenant. Serait-ce une patrouille qui se serait postée? Ce n'est pas par hasard qu'on m'appelle *Janek przebiegly*.

A la vérité, je ne suis pas plus prudent que les autres, mais pour moi la vie humaine a un prix inestimable. A la différence de mes camarades polonais qui sont tous animés par la *furia patriotka* et qui s'exposent sans lésiner, aucune fureur ne m'aveugle. Dans toute cette affaire, je garde le sang-froid du spectateur qui ne participe pas entièrement à l'action, presque persuadé au fond qu'il s'agit là d'un jeu.

Certes j'aime cette vie rude. Mais si j'apprécie particulièrement le coude à coude fraternel, les randonnées nocturnes pleines d'imprévus, je goûte moins l'*akcja bojowa*, le coup de force quand l'utilité ne se précise pas et qu'il s'apparente davantage à la chasse au fauve qu'à l'action militaire. Le Toubib avait raison; je ne puis me servir d'une mitrailleuse sans me poser le problème de la parabole.

Allons Janek, il ne suffit pas de changer de nom pour changer de condition! J'ai sauté le pas, certes, et la dépouille de Georges de Bray de La Grange Villeroy a bien été abandonnée à quatre pieds sous terre, dans un taillis, au cours de notre évasion, du moins en a-t-il été convenu ainsi avec Daniel. Mais comment arriverai-je à me défaire de tous les souvenirs de ce singulier personnage alors que Daniel lui-même continue à m'appeler Jo, confondant impunément Georges et Janek?

Est-ce bien là ce que je désirais? Une vie anonyme, absolument neuve, en dehors de toutes contraintes? En quoi suis-je autre que ce que j'étais? A la façon de tenir mon pistolet-mitrailleur ou de boire la vodka au jet de ma gourde? C'est une expérience intéressante mais une expérience sans plus. Certainement pas l'aboutissement, la véritable liberté. J'ai beau me persuader que je ne retrouverai plus le personnage qui accrochait invariablement chaque matin son chapeau à la même patère dans l'antichambre, je ne suis pas sorti d'un pouce hors de moi-même. Janek est dans la peau de Georges de Bray.

Il suffit pour m'en rendre compte de rester un instant immobile comme en ce moment dans cette nuit silencieuse, pour que viennent, projetés sur un écran au plus profond de mon être, tous ces visages qui me sont chers: Jo, mon fils, tel que je le voyais à ma dernière permission, levant vers moi son petit nez:

— 'jour, Pa Jo!

Ou bien Annick, tendrement penchée sur moi,

avec un regard tristement interrogateur:

— Tu reviendras, dis, tu reviendras bientôt?

Oui, bien sûr, Georges de Bray n'est pas mort. Changer de nom ne signifie rien ou pas grand-chose. Je commence à comprendre que l'important pour renaître à nouveau n'est pas de modifier son état civil mais de donner une orientation nouvelle à sa vie. J'ai pris un autre nom et des habitudes différentes mais j'ai bien peur que le chemin où je me suis engagé soit une voie sans issue.

N'importe, tout compte fait, cette expérience, salutaire ou non, constitue un excellent intermède. Cette vie extraordinaire parmi les partisans n'a pas fini de m'étonner. Les combats, même inutiles, m'ont appris l'insouciance. Et l'appréhension des lendemains incertains m'a redonné le goût de vivre. J'ai même parfois l'impression d'avoir recouvré la joie de mon enfance et un certain étonnement d'être. Bon signe ça: Janek ne connaît point encore la lassitude.

D'ailleurs ce personnage intéresse également Daniel. Il faut le voir épier mes gestes, écouter mes paroles, s'essayer à m'imiter. Pour lui, son état civil ne pose pas de problème, il n'a pas besoin de pseudonyme. Il est resté Daniel, ou plutôt *Danyl* comme l'appellent les Polonais, le bel enfant farouche et grave qui se lance à l'attaque avec un élan de tout l'être comme on se jette à l'eau. En ce qui le concerne, l'important est de se tirer au mieux de ce rude apprentissage, et il se donne tout entier à cette tâche.

Cependant, je ne suis pas toujours le modèle idéal. A mon amateurisme réfléchi, il préfère les caractères mieux trempés, et son admiration va successivement à ceux qui tour à tour réussissent à l'impressionner.

Pour l'instant, il n'est question que de Smyrna, une *bojownika*, combattante, dont il est follement entiché.

Avant c'était Bojak, un colosse réputé pour sa force, qui peut, de sa seule poigne de fer, terrasser un homme comme on assomme un lapin. Pénétré d'admiration, il avait même réussi à imposer à sa démarche ce balancement lourd de plantigrade qui caractérise Bojak.

Pendant un temps aussi, il avait imité Koralski, notre colonel, le chef des *partazas*, un bel homme au regard d'acier, au profil d'aigle, aux lèvres cruelles. Koralski a une façon toute particulière de vous parler en tordant la bouche de votre côté tout en conservant son regard fixé au loin. Bien sûr, Daniel n'a pu s'empêcher d'adopter cette manie. Comme une fois je lui reprochais ce besoin inné d'imiter les autres, il me fit cette remarque pertinente :

— Et toi, es-tu bien sûr de n'imiter personne?

C'est juste! Daniel a raison. Ce n'est peut-être pas aussi visible mais ne suis-je pas tout entier occupé à imiter Janek, ce personnage dans la peau duquel j'essaie de me glisser pour sortir de celle de Georges de Bray?

Quant à Smyrna... Mais chut! voici Pétrovsky qui me défonce les côtes d'un nouveau coup de coude :

— *Ca ja poczne!*

— Allons-y!

Nous dévalons le versant escarpé en suivant la lisière des sapins pour profiter de l'ombre des arbres. Notre marche est rapide, souple, silencieuse. Nous avons l'habitude de courir la nuit. Nos pieds se posent légèrement, sans bruit, sans faire rouler les pierres. Nos armes sont bien calées et ne font aucun cliquetis. Arrivés à la corne du bois, sans avoir besoin de nous concerter, nous nous arrêtons en même temps. Nos courses nocturnes ont développé en nous le même instinct. Il est indispensable avant de s'aventurer sur un terrain découvert d'inspecter d'abord les lieux. D'autant plus qu'il s'agit là d'une partie de la vallée qui échappe entièrement à l'observation de nos guetteurs.

Nous avançons jusqu'aux derniers taillis, écartons les branches et... oh! stupeur! Nous avons le même cri étouffé de surprise. En contrebas, près de la rivière, au bord de la route qui mène au village, un convoi de camions militaires est stationné. Comment se peut-il que cette colonne ne nous ait pas été signalée?

Nous nous félicitons d'avoir eu l'idée de cette petite reconnaissance. A quel échec nous nous serions exposés si nous avions tenté de joindre en groupe nos camarades cachés dans le village!

De toute façon, notre mission est terminée pour ce soir. Nous regagnons rapidement notre montagne, aidés par un magnifique clair de lune. Au fond de notre déception se cache une satisfaction sournoise : encore une nuit de gagnée!

Voilà qui contrecarre sérieusement nos projets. Combien de temps ces troupes vont-elles stationner au fond de la vallée? D'après les quelques renseignements recueillis, il s'agirait d'une importante formation de S.S. allemands venus en renfort de la garnison ukrainienne.

Cachés dans notre nid d'aigles, nous organisons de notre mieux notre retraite forcée en attendant les ordres. Les hommes envoyés au village pour essayer de joindre Koralski ne sont pas remontés. Pas de nouvelles non plus de Vasiliek qui devait venir avec ses troupes des villages du sud. Nous sommes immobilisés sur notre montagne, isolés, sans liaison avec nos amis.

Heureusement notre *budka*, large abri creusé dans le sol, est parfaitement aménagé et contient outre un lot de munitions, des couvertures et quelques vivres de réserve. Une fois la trappe refermée, avec son camouflage de terre et de broussailles, l'abri est invisible de l'extérieur et permet une retraite sûre en cas d'alerte.

Un peu plus en arrière dans la forêt de sapins, une petite cabane, grossièrement construite avec des troncs d'arbres et un toit de branchages, permet de nous détendre au grand air. C'est là que nous prenons nos repas. Nous allumons le feu à l'intérieur pour diffuser le plus possible la fumée qui risquerait de nous faire repérer. La cabane a pris ainsi l'odeur du fumoir à jambons de la ferme de La Grange, et chaque fois que j'ouvre la porte, je reçois au visage une bouffée de jeunesse.

Pour nous tous, ce séjour forcé dans la montagne est une joie. Jusqu'ici nous n'avions pas été gâtés. La tactique de Koralski : une action brutale et massive sur un point déterminé puis une dispersion totale dans les villages par petits groupes insaisissables, nous oblige à de longs séjours, recroquevillés dans des cachettes inconfortables au fond des granges ou dans les caves avec seulement la permission de sortir un peu la nuit pour respirer. C'est dire combien chaque nouvelle action est accueillie par nous avec soulagement sinon avec plaisir. Rarement les partisans se cachent dans la montagne, à moins de missions précises. La montagne est dangereuse, trop surveillée et le ravitaillement y est difficile.

C'est pourquoi le convoi de S.S. stationné entre la forteresse et le village ne nous contrarie pas outre mesure. Tant que nous les voyons camper là, nous prolongeons notre sursis, nos vacances au grand air.

Quand Daniel, le sourcil froncé, m'interroge :

— Ils sont toujours là?

Je lui envoie une bourrade joyeuse :

— Oui, mon vieux, ils sont là! Ça t'embête? Tu as l'air soucieux.

Et j'ajoute insidieusement :

— Tu t'ennuies de Smyrna?

Il se retourne d'une pièce et me fusille de son regard noir :

— Je te fais remarquer que c'est toi, le premier, qui m'en reparle!

— C'est vrai, nous avions convenu de ne plus en parler. Excuse-moi! Tu sais Daniel...

J'essaie de lui passer un bras autour des épaules, mais il se dégage brusquement :

— Tu sais Daniel, je plaisante avec ça parce qu'il ne faut pas prendre ces choses trop au sérieux, mais à ton âge, j'étais amoureux comme toi, mon vieux.

— A mon âge! A mon âge!... D'abord est-ce que tu avais déjà fait ce que j'ai fait? Non? Alors? Et puis « amoureux », tu me fais rire! Je ne suis pas amoureux. Cette fille m'embête, c'est tout.

— Elle te fait marcher.

— Je sais.

— Fais-la marcher à ton tour.

— Elle se moquerait de moi.

— Alors laisse-la tomber, fais comme si elle n'existait pas, ne t'occupe plus d'elle.

— Je ne m'en suis pas occupé beaucoup jusqu'à présent.

Pauvre Daniel, voici un nouvel apprentissage qui commence! Je ne puis m'empêcher de sourire en le regardant. Malgré les nuits de veille, la fatigue des combats, son visage a conservé sa fraîcheur juvénile. Allons, ce n'est pas lui mais plutôt Smyrna qui serait à plaindre. Mais il ne peut savoir dans son ignorance complète de la femme.

Quand nous avons vu Smyrna pour la première fois, à la façon dont il la regardait, j'ai compris tout de suite que c'en était fini de sa tranquillité. Nous étions tout un groupe à attendre les ordres de Koralski dans une cave à Viznova. Nous ne savions pas exactement ce qui se préparait. On ne sait jamais à l'avance. Les ordres sont donnés à la dernière minute, au moment de l'action, pour éviter les indiscrétions. Parfois l'ordre ne vient pas; soit parce que le moment est mal choisi, soit parce que les circonstances ont changé. Nous allons souvent ainsi de villages en villages, de cachettes en cachettes, de rendez-vous en rendez-vous sans qu'il se passe la moindre action.

Ce soir-là, notre *réunion* s'annonçait particulièrement réussie. Nous avions quelques bouteilles d'alcool et des cigarettes. Il n'en fallait pas davantage pour nous rendre gais. Ce que nous avions à faire ensuite nous importait peu. Et puis ce village était de tout repos, uns station de villégiature pour partisans. On ne craignait rien.

La fête battait son plein. Nous avions depuis longtemps chanté *Jeszeze Polska ni zginieka*, la Marseillaise et nous attaquions les Montagnards que tout le monde chante sans connaître les paroles parce que ce chant se prête bien aux vibrations à plusieurs voix, lorsque la porte s'ouvrit brusquement et Smyrna entra.

Nous la connaissions de réputation, sans jamais l'avoir vue, par tout ce qu'on avait entendu dire à son sujet. Une véritable légende se créait autour de son nom. On savait qu'elle était jolie, intrépide à l'excès, ses actes de bravoure ne se comptaient plus. Elle cachait un poignard au plus intime de ses cuisses et n'hésitait pas à s'en servir quand cela devenait indispensable.

Tout le monde sait qu'elle est la maîtresse de Koralski mais personne n'en a la preuve, et de toute façon elle n'a pas besoin de ce titre pour se faire respecter.

Les nazis ont massacré sa famille et elle leur voue une haine féroce. On raconte qu'elle a pu s'échapper du ghetto en poignardant un officier allemand au moment où il la violentait et en s'enfuyant avec son manteau et son pistolet.

Par la suite, elle a usé de son poignard sans lésiner. Sa beauté sert d'appât et elle sait très habilement amener le moment fatal où sa victime désarmée n'est plus qu'une proie à sa merci.

Elle est activement recherchée par la Gestapo. Sa tête est mise à prix. Ce qui ne l'empêche pas de se déplacer librement sous différents travestis et de mettre à profit ses connaissances en langues étrangères pour assurer la liaison, transmettre les ordres, recueillir des renseignements.

Ce soir-là, dès son entrée, elle commença par nous apostropher vertement :

— Vous êtes fous de gueuler comme ça, on

vous entend de Krakow!

On se tut et je remarquai l'accueil respectueux de tous. Elle donna ses ordres rapidement, d'une voix grave, sans paroles inutiles et commentaires superflus. Tout avait été soigneusement enregistré dans sa mémoire et il ne manquait pas une virgule des instructions de Koralski.

J'avais surpris son regard lorsqu'elle était entrée. Elle nous avait dévisagés Daniel et moi mais aussitôt avait détourné la tête, sans doute pour ne pas montrer qu'elle nous avait remarqués. C'est au cours de la conversation, un moment après, qu'elle demanda brusquement, comme si cela lui venait soudain à l'esprit :

— Où sont les Français?

On nous désigna. Elle s'approcha de nous et nous tendit la main en nous disant « bonjour » en français. Sans plus de façon, elle s'assit à nos côtés, à même le sol, et entama une longue conversation, visiblement heureuse de montrer qu'elle connaissait bien notre langue. Elle nous questionna sur nos familles, notre vie en France, notre évasion, nous apprit qu'il y avait aussi des Français évadés de Rawa Ruska dans le bataillon de Pratza, mais ne put nous dire leurs noms.

Daniel ne la quittait pas des yeux. Il semblait littéralement fasciné. A dire vrai, ce soir-là, je ne trouvais pas sa beauté extraordinaire. Il me semblait même que sa réputation de jolie fille était un peu surfaite. Peut-être manquait-elle de féminité, et je n'aime pas les femmes sans féminité. Ses habits d'homme — vareuse grise, pantalon sale et bottes couvertes de boue — ne la flattaient pas. De plus elle avait ses cheveux cachés sous une toque de fourrure, ce qui durcissait encore les traits de son visage que je trouvais par ailleurs assez quelconque à l'exception des yeux particulièrement expressifs.

Comme toujours j'avais été emporté par mon imagination extravagante, et dans l'ensemble j'étais déçu. Mais je comprends que Daniel ait pu se laisser prendre à ce charme exubérant et un peu trouble. D'autant plus qu'elle semblait surtout s'intéresser à lui.

A un certain moment, elle aperçut la chaîne qu'il porte toujours à son cou et lui demanda de la lui montrer. C'était une petite médaille de Notre-Dame de Lourdes que lui avait donnée l'abbé Auboin. Elle la prit dans ses mains et se pencha pour y poser ses lèvres. Puis à son tour, elle dégrafa rapidement son corsage pour dégager sa chaîne et nous montrer sa médaille, une effigie de la Sainte Vierge également, qu'elle nous présenta cérémonieusement pour nous la faire embrasser. La chaîne était courte. Il fallait se pencher sur la jeune poitrine. Et l'odeur opiacée qui montait du corsage ouvert était ensorcelante. Oui, je comprends que tout cela ait pu troubler Daniel.

Traminco, le joyeux drille, le plus turbulent de nous tous, vint mettre fin à notre aparté en plaisantant Smyrna et en la chahutant. Il l'empoigna pour une lutte sans merci, et après nous avoir fait un clin d'œil de connivence, la renversa sur le sol comme s'il voulait abuser d'elle. Cette plaisanterie devait probablement se répéter souvent car tous suivaient la scène d'un regard amusé avec des airs entendus. Smyrna essayait de se dégager, tantôt criant, tantôt riant, et Traminco insistait de plus belle pour l'amener au geste que tous attendaient.

Brusquement la lutte cessa. Elle avait tiré son poignard et tenait Traminco en respect, la lame sur sa gorge. Immobile, n'osant bouger sous le contact glacé de la lame acérée, il se contentait de glousser de joie en demandant grâce. Tous riaient aux éclats. Traminco enfin libéré se releva et lui demanda son poignard pour nous le montrer. C'était un stylet à la lame effilée comme un rasoir. Sur le manche en bois, un certain nombre d'encoches étaient grossièrement taillées. Nous savions ce que cela signifiait.

Elle demanda alors à voir le poignard de Daniel. C'était un couteau de chasse anglais très confortable, destiné à l'origine à un boy-scout, et que les hasards de la guerre avaient largué ici parmi les armes d'un container. Mais il brillait, trop neuf, et Daniel soudain rougit de cette autre virginité.

Traminco, toujours hilare, insista pour que Smyrna raconte son dernier exploit. Elle fit « non », excédée, et reprit son poignard qu'elle rengaina dans son étui fixé sur sa cuisse.

C'est à partir de ce soir-là que le comportement de Daniel commença à m'étonner. Jusque-là, j'avais toujours admiré son humeur égale et souriante, ses propos graves, son attention soutenue pour observer, comprendre, raisonner. Il avait conscience des lacunes de son éducation et faisait un effort louable pour les combler.

Sans transition, il devint d'humeur changeante, tantôt gai, enthousiaste sans raison, tantôt soucieux, morne, irascible. Il me parlait rarement de Smyrna mais je sentais qu'elle était le sujet de ses préoccupations. Quand, par hasard, il entendait prononcer son nom, il avait une façon de froncer le sourcil qui ne trompait pas. Un jour je le surpris à regarder furtivement le dessin de jeune fille que je lui avais fait en cellule. Il me demanda, en s'efforçant de conserver un ton détaché :

— Tu ne trouves pas qu'elle lui ressemble?

Je ne voulus pas le contrarier mais entre le

portrait et Smyrna il y avait la différence du jour et de la nuit. La jeune fille du portrait était une fleur flexible et délicate, Smyrna serait plutôt une plante robuste et agreste. Elles ont tout de même un point commun, l'incurvation féline des yeux.

Autre chose tracassait Daniel, son ignorance des femmes. Il ne s'était jamais intéressé aux filles faciles rencontrées au hasard des *biwaks*, et il comprenait maintenant combien cette expérience lui manquait. Il m'interrogeait souvent à ce sujet et les questions précises qu'il me posait prouvaient qu'il avait l'intention bien arrêtée de combler cette lacune sans tarder.

Enfin, il n'avait pas encore fait usage de son poignard, et cette disponibilité le mettait dans un état d'infériorité. Bojak, souvent sollicité, baragouinait ses explications dans un français très expressif:

— Ti vois, Danyl, toi mettre le pouce ici, comme ça, et ti tournes comme ti coupes la pain, comme ça. Si tout de suite pas le sang qui coule, ti tournes encore. Il faut ti coupes dedans le boyau. Voilà, ric et rac, comme ça, c'est très bien!

Sans nul doute, Daniel voulait son encoche. Je n'aurais pas donné cher de la peau d'un S.S., ou d'un *feldgrau*, voire d'un simple milicien ukrainien faisant seul une petite promenade hygiénique à la nuit tombante.

216

A plusieurs reprises, il avait dû tenter une action isolée mais sans succès. Probablement parce qu'il n'avait pas encore atteint la bonne forme ou parce que les circonstances ne s'étaient pas présentées comme il fallait. C'était difficile de savoir car il préférait garder le silence sur ses tentatives.

Enfin, un soir, on vint nous annoncer la présence d'un mystérieux wagon sur une voie de garage tout près du bâtiment de la gare. On ne savait pas ce qu'il contenait, les Allemands avaient placé une sentinelle en permanence pour le garder, laissant supposer qu'il s'agissait d'une marchandise rare : armes, munitions, produits pharmaceutiques, denrées alimentaires, pouvait-on savoir? Il fallait agir le soir même.

Bien sûr, dans une mission comme celle-ci, il n'est pas question d'utiliser nos mitraillettes. Le poste de garde étant tout proche, le moindre bruit risquerait de donner l'alerte. Habituellement un exécuteur est désigné, qui approche de la sentinelle le plus près possible et agit seul. Il est en tenue légère, généralement pieds nus, et armé de son seul poignard. Le groupe suit à distance, prêt à intervenir en cas de nécessité.

Ce fut Bojak qui fut désigné. Daniel lui demanda alors de lui laisser sa place. Bojak, qui n'en était plus à un exploit près, la lui laissa de bon cœur. Il était enchanté de pouvoir constater enfin le résultat de ses leçons.

Je n'approuvais pas cette décision de Daniel. Mais que pouvais-je faire? Je ne serais jamais arrivé à le convaincre d'y renoncer. Cette épreuve, il l'attendait depuis longtemps. Bien sûr, j'étais persuadé qu'elle ne lui était pas nécessaire, mais lui la considérait comme une initiation indispensable au même titre que l'autre, celle qu'il attendait de Smyrna. Pensait-il comme ces guerriers bayas qui passent d'abord l'épreuve de la mort avant celle de l'amour?

J'essayais malgré tout de lui faire comprendre que le rôle d'un soldat est de faire le siège d'une ville, de prendre d'assaut une citadelle, voire de conquérir ou de défendre un lopin de terre avec des armes que fort heureusement le progrès a perfectionnés, ce qui nous permet de les utiliser à des distances de plus en plus grandes de l'ennemi. Mais que trancher la gorge d'un homme, de sang-froid, sans qu'il s'y attende, en lui sautant sur le dos, relevait d'une tactique barbare et révolue à notre époque de la bombe au phosphore et du bazouka.

Rien n'y fit. Il se contenta de me faire remarquer qu'en temps de guerre, il n'y avait qu'une seule règle: occire l'ennemi, et que peu importaient les moyens employés. Que répondre à cette logique? Je préférais me taire, d'autant plus que mon insistance aurait fini par devenir suspecte à ces hommes pour qui le poignard est l'arme de combat par excellence.

Malgré tout, le soir, bien que n'étant pas désigné pour faire partie de l'expédition, je me joignis au groupe de Bojak. Je voulais surveiller discrètement Daniel et intervenir si cela était nécessaire.

Ah! Je ne suis pas prêt d'oublier cette gare de Kostovia! Je me souviendrai longtemps de cette longue progression en rampant dans le fossé qui bordait la voie, de ce ciel souvent clair, baigné de lune, qui nous obligeait à d'interminables pauses, sans bouger, de cette silhouette noire du wagon qui se profilera en ombre dans ma mémoire aussi longtemps que je vivrai, de cette autre silhouette hérissée du fusil vers laquelle Daniel, aplati comme un fauve, rampait imperceptiblement, son poignard nu dans la main.

L'homme se déplaçait souvent, sans doute inquiété par quelque obscur pressentiment ou par des bruits insolites qu'il avait cru entendre. Il sifflotait par moments quelques notes de cette marche guerrière que tout un peuple chante pour se persuader de la victoire prochaine.

Je ne sais si le cœur de Daniel battait aussi fort

que le mien. J'ai connu des situations plus dramatiques et cependant, de ma vie, je n'ai ressenti une
émotion aussi intense. C'est à croire que nous
sommes plus réceptifs à l'angoisse quand nous
assistons au drame que lorsque nous le vivons.

Vingt fois, lorsque la sentinelle approchait du
fossé, je retenais ma respiration, m'attendant à voir
bondir Daniel, et mes muscles crispés, contractés
comme devaient être ceux de Daniel, me donnaient
des crampes.

Enfin, il bondit silencieusement comme un fauve
noir. On n'entendit qu'un cri étouffé : « err...! »,
peut-être la première syllabe de *Herrgott!* qu'il
n'eut pas le temps d'achever, et puis un râle qui
se perdit dans un gargouillis sinistre. On vit les
deux ombres rouler à terre dans une courte étrein-
te. D'un bond nous étions sur eux. Mais Daniel
déjà s'était relevé.

Je ne suis pas prêt d'oublier non plus le visage
qu'il avait ce soir-là! Dans la cuisine de Stéphana
où nous nous étions cachés en attendant les autres, il avait dû se déshabiller entièrement tant il
était barbouillé de sang, et se lavait à grande eau,
tandis que Stéphana frottait ses vêtements. Les
yeux exorbités au-dessus de la serviette, il demandait :

— J'en ai encore?

Et la vieille Stéphana soupirait:

— *Chrystus! Chrystus!...*

Il avait une sorte de rictus qui voulait être un sourire, un sourire un peu forcé, et la lèvre supérieure tremblait étrangement d'un seul côté dans un frémissement nerveux.

Le wagon contenait des couvertures militaires. Cela nous permit d'en doter la plupart de nos *budkas* et de restituer aux habitants des villages celles qu'ils nous avaient prêtées. *Danyl*, ce soir-là, avait gravi un échelon dans la hiérarchie de la résistance polonaise.

II

A le voir là, assis devant moi, si calme, les cheveux courts tombant en boucles légères sur le front, les yeux limpides à peine soulignés par le cerne des nuits de veille, avec son visage pur que rien n'a terni, que rien ne semble pouvoir ternir jamais, je me demande si, à travers cet être impassible, j'ai pu atteindre l'âme.

Nous échangeons rarement nos impressions. Cependant, ce matin, à cause peut-être de ce calme, de cette solitude dans la profondeur de la forêt, du ciel clair, du soleil, de cette paix provisoire, j'ai envie de dire autre chose que les mots habituels.

— Tu ne trouves pas que nous sommes bien ce matin, tous les deux, là?

Son regard me sourit au-dessus de la boîte de conserve qui lui sert de bol, et il hausse les épaules.

Oui, nous n'échangeons pas souvent de longues phrases en dehors des conversations quotidiennes, et cependant nous nous sentons liés l'un à l'autre, soudés comme si nous ne faisions qu'un. Il suffit d'un regard, d'un sourire, d'un haussement d'épaule, d'une boutade pour nous comprendre.

Comme moi, il n'aime pas les grandes effusions. Pourtant, une fois, il a eu un geste inattendu. C'était au cours de notre évasion. Nous marchions côte à côte silencieusement, et brusquement, sans savoir pourquoi, il avait éprouvé le besoin de m'envoyer une grande bourrade à l'épaule en s'écriant :

— Tu sais, je ne serais pas parti avec un autre!

Oui, cela suffit. Cela suffit avec ce regard qu'il a quelquefois vers moi, ce regard qui me rappelle Dyna, ma petite chienne setter. Dieu me garde d'une comparaison irrévérencieuse, Dyna fut longtemps mon unique amie.

Rien autrement, pas de mots affectueux, pas de confidences amicales, mais mieux que cela, une sorte de correspondance mystérieuse qui nous avertit que nous dépendons entièrement l'un de l'autre, que nous ne pouvons vivre que l'un par l'autre, et que nous sommes prêts immédiatement à nous sacrifier l'un pour l'autre. Il suffit d'une

situation exceptionnelle pour que le métal rare de

cette amitié brille soudain de tout son éclat.

Un jour, alors que nous décrochions d'un village infesté de S.S., un barrage de mortiers vint nous frapper en plein dans notre retraite. Heureusement, nous avions eu le temps de nous jeter derrière le mur qui cachait notre repli, et les dégâts furent peu importants. A peine relevé, Daniel, sans se soucier de ses blessures et de la fusillade, se mit à courir de l'un à l'autre en criant :

— Jo! Jo! Où est Jo?

Je bondis comme un diable au-dessus de notre mur et, l'empoignant par un bras, le jetai à terre.

— Couche-toi! Tu es fou?

Aplatis derrière le mur, après avoir constaté que nous n'avions pas grand mal, nous ne pûmes nous empêcher de rire de notre inquiétude. Il grogna avec son inévitable haussement d'épaule :

— Idiot! Tu ne pouvais pas répondre, non?

Je ne sais si c'est l'effet de cette matinée extraordinairement calme dans une nature paisible que les querelles des hommes n'arrivent pas à troubler, mais je me sens transporté de joie, envahi d'un fol espoir. Non, tout n'est pas perdu, tout n'est pas irrémédiablement perdu! Les arbres sont là qui se balancent dans le ciel sous un souffle invisible, toujours pareils, toujours semblables à eux-mêmes, comme ceux qui peuplaient nos forêts il y a des siècles. Les nuages courent dans le vent avec les mêmes formes extraordinaires des milliers et des milliers de fois recommencées. Et pourtant, c'est toujours la même eau qui compose la trame de leur étoffe légère. Le soleil suit invariablement l'orbe qui lui a été fixé une fois pour toutes et caresse de chaleur bienfaisante les mers, les forêts, les plaines et leurs moissons, et ma joue où le sang afflue comme si son rayonnement était tout proche alors que des distances folles nous séparent, des distances qui se comptent en années de lumière.

Mais à cet instant bien que ce n'est pas la même seconde peut-être que mon fils reçoit cette même délicieuse caresse sur le visage, et Annick, ma femme, et d'autres êtres, et des milliers et des milliers d'autres êtres... Et je voulais sortir de moi-même pour devenir un autre, renier ce que j'ai été alors que la nature ne se renie jamais!

J'ai envie de prendre Daniel dans mes bras et de l'embrasser. J'imagine sa tête. Evidemment je ne peux pas lui expliquer que c'est à cause du soleil, des arbres, du ciel incomparablement bleu et de la relativité du temps et de la vitesse. Pour s'embrasser il faut des circonstances exceptionnelles. Certes cela nous est arrivé déjà.

Nous venions de stopper un camion d'armes.

C'était une belle prise. L'affaire avait été réglée en moins de temps qu'il ne faut pour l'écrire, et tout à notre joie nous sautions en nous embrassant les uns les autres au milieu de la route comme une équipe de football qui vient de gagner la partie. Daniel était venu me chercher au milieu du groupe et m'avait sauté au cou. Je l'avais gardé serré un moment dans mes bras en lui répétant les seuls mots affectueux que j'avais pu trouver :

— Sacrée vieille cloche!

Oui, en ce moment, évidemment, seuls l'un en face de l'autre, alors qu'il récure consciencieusement sa boîte de conserve, mon geste pour le moins lui paraîtrait insolite. Ainsi une fois j'avais eu une folle envie d'embrasser mon père et je ne l'avais pas fait. Je ne l'avais pas fait parce que rien ne me poussait à le faire sinon un élan d'amour impétueux que je ne pouvais m'expliquer. J'avais été étonné de constater, en l'embrassant plus tard, comme chaque soir, avant d'aller me coucher, que mon élan s'était brisé.

A Daniel, je me contente de lui rouler une cigarette que je lui offre en lui demandant :

— Tu ne regrettes pas trop Rawa?

Il me regarde ébahi :

— Tu es dingue, non?

Je pressens que cette pause ne va pas durer

longtemps, que d'un moment à l'autre les guetteurs vont nous annoncer le départ de la colonne de camions, que ce soir peut-être il va falloir agir, et que demain, qui sait... Mais qu'importe demain! Profitons de ce court instant de bonheur.

Daniel me demande à brûle-pourpoint :

— Qu'est-ce qu'on fait?

— Comment qu'est-ce qu'on fait? Mais nous n'avons rien à faire!

— Nous n'allons pas tenter de rejoindre le village?

— Pour l'instant c'est trop risqué. Ils sont prévenus en bas, attendons.

— Mais on ne peut pas attendre indéfiniment. Nous n'avons plus de vivres!

— Nous nous débrouillerons.

— Je ne peux pas descendre moi?

Il a posé cette question négligemment en soufflant sa fumée. Je sais très bien où il veut en venir, mais je préfère le laisser s'expliquer.

— Pas question! Nous sommes assez dispersés comme ça!

Il se lève brusquement, repousse le banc d'un coup de pied et se met à arpenter la cabane de long en large.

— Ecoute Jo, il faut que je descende!

— Je sais, elle est en bas et tu veux la voir!

— Peut-être.

— Eh bien! moi, je ne peux pas te laisser faire une connerie!

Il a un geste d'impatience :

— Tu crois sérieusement qu'*ils* vont m'empêcher de passer?

— Il ne s'agit pas d'*eux* mais d'elle... Ce n'est pas en lui courant après que tu l'auras.

— C'est une occasion inespérée!

— Il faut la laisser venir!

Il voudrait s'expliquer mais n'ose pas ou ne sait pas, fait un geste vague et reprend sa marche de lion en cage. A plusieurs reprises, je sens qu'il va parler, puis hésite et finalement se tait. Et tout à coup, voici que tout jaillit dans un flot de paroles hachées :

— J'en ai assez, assez, tu comprends? Il faut que... que... enfin ce sera elle et pas une autre. Je la veux et quand je veux quelque chose... Rappelle-toi le poignard... Il le fallait. Ça aussi, il le faut. Je ne sais pas, je me fais peut-être des illusions mais je crois qu'elle a pour moi... Enfin moi aussi c'est pareil. Et nous nous regardons comme des imbéciles sans oser nous parler, sans rien dire... Eh bien, je descendrai au village, tu m'entends? Les connards qui se rôtissent au soleil près de leurs camions ne m'empêcheront pas de passer. Et si elle est en bas...

— Si elle est en bas, tu attendras qu'elle vienne ici!

Il s'arrête surpris et s'assied, enfin dompté, avec un sourire au coin des lèvres :

— Tu crois?

— Ce ne serait pas la première fois qu'elle viendrait te relancer. Souviens-toi de la soirée à Rybzow et chez Stéphana. Nous ne l'avons jamais tant vue dans notre groupe que depuis qu'elle te sait là.

— C'est un peu vrai... Mais de là à venir jusqu'ici...

— Ici ou ailleurs, tu n'as qu'à l'attendre.

Il a son sourire de nouveau et se tourne vers moi pour me secouer l'épaule :

— Dis donc Jo!... Toi qui as tout de même l'habitude de ces choses, qu'est-ce que tu me conseilles de faire?

— Comment *faire?* Tu ne veux pas que je te fasse un dessin?

— Ce n'est pas ça. J'ai l'impression... enfin tu te souviens en tôle, quand je te demandais : «Est-ce que l'amour existe?». Tu m'as répondu : «Bien sûr ça existe!». J'ai l'impression que c'est ça. Comme une grenade qui éclate à l'intérieur et qui vous fout un souffle du tonnerre. Alors, tu comprends, je ne voudrais pas tout gâcher. Il faudrait peut-être que je lui dise d'abord... que je lui demande enfin...

— Tu n'as rien à lui dire, rien à lui demander! Les explications viendront après. Avec ce genre de fille, l'attaque doit se faire par surprise.

— Oui, mais tu ne crois pas qu'elle pourrait se vexer?

— Si tu lui plais, non. Et tu lui plais certainement.

Ah! le regard de Daniel! Je crois qu'il n'a jamais eu autant d'admiration pour moi.

Décidément cette journée est belle, vraiment très belle! En cet été triomphant, toute chose est baignée d'une tiédeur apaisante. Dans l'air fluide, la visibilité devient extraordinaire. Sans même avoir besoin de jumelle, on aperçoit sur les toits du village en bas, les fumées qui montent droites et légères. Le fleuve étincelle au soleil et se perd après de nombreux méandres dans les marais au loin. Un souffle très doux agite les feuillages. Le concert des oiseaux que domine le piaillement heureux de la mésange donne à la forêt un air de fête.

C'est mon tour de garde. Daniel est venu me voir un instant puis il est parti dans la *budka* se reposer des veilles de la nuit. J'ai entendu derrière moi décroître un sifflement léger, cet air que je n'arrive pas à reconnaître, et me voici seul.

Le dos bien calé contre un rocher, la tête dépassant à peine au-dessus d'une épaisse fougère, j'ajuste ma jumelle et observe méthodiquement la vallée. J'ai beau scruter méticuleusement la citadelle, la route, le village, rien ne bouge, tout est calme, la vie semble reposer dans une sieste molle. Et voici que je fais un plongeon des années en arrière, sur une montagne à peu près semblable à celle-ci, observant dans une attitude identique, une autre forteresse, une autre vallée.

Allons, Janek ne peut être un personnage nouveau. Est-ce que je pourrai oublier cette émotion indéfinissable qui m'étreignait en écoutant dans la solitude de l'Atlas cette mélopée nostalgique que chantait merveilleusement un berger schleuh? J'avais soudain l'impression que le temps suspendu confondait le présent et le passé. Cette triste élégie berbère rejoignait les plus anciens chants bibliques pour exprimer la peine inconsolable de l'homme. La bouche ouverte, pour entendre mieux, j'écoutais cette étrange voix, extraordinairement mélodieuse, sans toutefois parvenir à en comprendre le sens. J'ai dû à ce moment côtoyer la foi de très près et si elle n'est pas venue se poser dans mes mains, ce n'est pas faute de les avoir tendues vers le ciel.

Non, on ne peut pas rompre avec le passé. La vie est une et indivisible. Ce pas fait en avant dans les montagnes de l'Atlas doit m'être compté quelque part. Toutes les expériences n'auraient aucun sens si elles ne s'ajoutaient ou se retranchaient les unes aux autres comme les valeurs absolues sur un vecteur géométrique. C'est ainsi en fin de compte que doit se mesurer le chemin parcouru.

Sur ce rocher, face à ce pays triste, dénudé, sauvage, ce pays qui lutte farouchement pour sa liberté, ce pays qui m'accepte parce que je combats le même ennemi, mais qui me rejetterait impitoyablement s'il en était autrement, j'ai la perception très nette d'être là à ma place. Particule infime de chair et d'esprit entre le granit immuable et la vie légère mais sans cesse renouvelée de la fougère, je me sens incorporé à cette nature et non plus un étranger solitaire tombé sur cette planète.

Il faudra désormais prendre appui sur cette idée que nous sommes intégrés à un tout dont nous dépendons et qui, dans une certaine mesure, subit par contrecoup la réaction de nos actes.

Voilà qui est réconfortant et combien exaltant! Ce souffle léger qui fait vibrer le buisson de fougère et raffraîchit mon visage m'appartient. Est mien aussi ce rocher sur lequel je m'adosse et qui m'attendait depuis des millénaires. Je commence à comprendre que la patère sur laquelle j'accrochais mon chapeau dans l'antichambre n'est pas une raison suffisante pour me faire renier mon passé. Tout se tient, tout est lié. La vie prend des formes multiples autour de nous, il suffit de s'y adapter suivant les circonstances et de rechercher l'unité, le dénominateur commun.

Dans les montagnes de l'Atlas, j'étais un conquérant ivre d'espace qui foulais orgueilleusement un pays inconnu. Sur ce sommet rocheux aux confins de l'Ukraine, je combats pour la liberté d'un peuple oppressé. Ces deux expériences, identiques dans leur action mais différentes quant à leur but, s'annulent l'une l'autre pour ne laisser subsister que cette vérité évidente : la liberté de l'homme.

Il me semble sur cette autre montagne que je viens de bouger imperceptiblement à nouveau. J'ai la sensation précise de la pérennité de la matière et de la vie, de l'harmonie impalpable qui enveloppe toute chose.

Et voici la chose attendue qui éclate comme une bombe. J'ouvre la porte de la cabane et je fais un saut de côté, désagréablement surpris, devant le canon d'un pistolet braqué sur moi. Le temps d'une seconde, le temps de me rendre compte de ma méprise, mon cœur affolé fait une écœurante sarabande.

— Idiote!

Elle a posé son pistolet sur la table pour rire à son aise en se tenant le ventre.

— Pauvre Janek!... Tu as eu peur!... Ah! ah! ah!...

— C'est malin!

Elle est attifée en vieille bonne femme et il a fallu l'éclat de ses yeux d'émeraude sous l'ombre de son fichu qui lui cache la moitié du visage pour que je la reconnaisse.

— Qu'est-ce que tu viens faire ici?

Aussitôt je me reproche mon ton bourru en pensant à la joie de Daniel.

— Il y a un convoi très important arrêté en bas devant la citadelle et qui coupe la route du village...

— Nous le savons!

— Pétrowsky et les autres sont bien arrivés. Ils ont distribué les armes. Mais ils ne peuvent repartir. Il faut attendre la nuit.

— Et toi?

— Moi, ce n'est pas pareil, je suis une femme, tu vois bien, une vieille femme.

Elle se casse en deux et, en effet, avec sa longue robe grise qui tombe jusqu'à terre, son fichu noir, son dos rond, elle a bien l'air d'une petite vieille.

— Je suis passée devant eux et ils ne m'ont même pas interrogée.

Elle rit aux éclats et, en un tournemain, arrache son fichu, retire sa robe et apparaît dans sa tenue habituelle: pantalon, bottes et vareuse serrée à la taille.

— Tu es seul?

— Les autres dorment ou font le guet. Par où es-tu passée?

— Par les rochers, sous ton nez! Ah! ah! ah!... J'ai chaud. Tu n'as rien à boire?

— Si, un peu de café, si tu veux.

Elle s'assied sur le banc, derrière la table, et boit un restant de café — notre dernière poignée d'orge grillée — en m'observant comme Daniel tout à l'heure, le regard au-dessus de la boîte de conserve. Pour la première fois, je remarque son extraordinaire chevelure rousse aux reflets dorés. Sous les rayons de soleil qui filtrent à travers les branchages du toit, cette masse mouvante de cuivre et d'or flamboie littéralement. Je n'avais pas encore remarqué non plus sa bouche large aux lèvres lourdes, curieusement mobiles et expressives, qui fascinent le regard et qu'on ne peut plus quitter des yeux.

Si Daniel savait qu'elle est là! J'insiste pour aller le prévenir. Elle me demande négligemment:

— Où est-il?

— Il dort.

— Eh bien, laisse-le dormir!

Je trouverai toujours le moyen de l'avertir discrètement. En somme, cette coïncidence me satisfait assez. N'avais-je pas prédit qu'elle viendrait? Voilà qui va me grandir singulièrement à ses yeux.

— Tu as une cigarette?

— Oui.

Je sors ma boîte et m'assieds en face, de l'autre côté de la table. Elle me regarde avec un sourire amusé rouler le tabac grossier dans une feuille mince. Et quand je passe ma langue sur le papier, elle est prise à nouveau par le fou rire.

— Pauvre Janek! Tu as eu peur!

— Bon, ça va! Je ne vais pas en faire une jaunisse!

— Jaunisse?

— Oui, c'est une maladie qu'on peut avoir après une forte émotion et qui rend tout jaune.

— Ah! oui!

Tout en soufflant sa fumée, elle me regarde longuement. Oui, évidemment, je comprends que Daniel ait pu se laisser prendre à ce regard-là. Je plonge mon nez dans ma boîte pour me rouler une cigarette à mon tour.

— Tiens, j'ai de la vodka, tu veux boire?

Et nous buvons à tour de rôle à même la gourde.

Quel singulier parfum flotte dans l'air? Il semble soudain que tout s'immobilise et se tait. Pourtant je distingue parfaitement les appels stridulés d'un couple de mésanges tout près de la cabane. C'est un morceau d'éternité qui passe. Je suis obligé de faire un sérieux effort pour réaliser où je suis et qui je suis. J'ai l'impression d'être largué dans un monde intersidéral, sans pesanteur, où n'existe plus que le présent immédiat et fluide. Ma personnalité m'abandonne ou plutôt elle s'imprègne d'universalité. Je suis à la fois la chevelure flamboyante de Smyrna, le vent léger qui froisse les feuillages au-dessus de nos têtes, l'or du soleil qui coule par tous les interstices et le ciel qui s'ouvre sur l'infini bleuté. Je crois que cette fois j'ai réussi mon évasion. Me voici enfin hors du temps, hors de l'espace, hors de ma condition, hors de moi-même.

Et tout le reste m'apparaît sans importance. La haine des hommes, la misère, la lutte, la mort... Rien ne peut m'atteindre dans cet univers où je prends soudain mon élan. L'important est de suivre son orbe sans contrainte dans cette harmonie universelle, de se laisser emporter dans l'envoûtement céleste pour atteindre la plénitude, cette vérité dernière.

Elle doit me parler. Oui, sans doute, elle me parle mais je n'entends rien à ses paroles, tout occupé que je suis à essayer de comprendre le mystère de sa bouche, un mystère simple, essentiel, qui fait qu'une bouche de chair pétrit des mots qu'on ne comprend pas mais dont l'harmonie des sons vous font deviner le sens. O la symphonie des parfums qui montent de sa bouche!

Mon regard fasciné ne quitte plus cette étrange fleur de chair qui danse un ballet extraordinaire pour moi seul, en émettant à chaque mouvement un son différent. Que cette chair humide soit l'expression de la pensée, la pensée qui engendre toutes choses, voici le mystère!

— Tu veux boire la dernière goutte?

Elle me tend la gourde. D'un saut, je reviens à la lumière des hommes, une lumière d'aquarium sous les frondaisons autour de la cabane, où brille l'éclat d'émeraude des yeux de Smyrna.

Sa bouche a les mêmes pulsations aux formes infinies, mais elle prend de plus en plus des contorsions bizarres qui la font ressembler à ces étranges fleurs carnivores. Il y a un décalage aussi avec la musique des paroles comme le son et la lumière, ainsi la cognée du bûcheron qui s'abat au loin dans les manuels d'école.

Il me vient à l'esprit que j'aurais dû appeler

Daniel, et aussitôt je me lève en avertissant Smyrna que je vais le chercher. Elle a un geste d'impatience et me retient:

— Laisse *Danyl!*

— Mais enfin si tu es venue, c'est pour le voir!

— Non!

Elle s'est levée, elle a fait le tour de la table, elle est venue tout près de moi:

— Tu ne sais pas pourquoi je suis venue?

Elle est juste à la hauteur qu'il faut. Et je me retiens pour ne pas la prendre dans mes bras comme je me retenais tout à l'heure pour ne pas embrasser Daniel. Je savoure à l'avance le fruit charnu de sa bouche.

— Alors, tu ne sais pas pourquoi je suis venue?

— Tu es venue pour voir Daniel...

— Tu m'embêtes avec ton *Danyl...* Je suis venue pour toi!

Et comme je ne réponds pas, elle me prend la main:

— Janek, tu ne me crois pas?

Il monte d'elle un parfum tiède que j'ai envie d'aspirer profondément comme une épaisse fumée d'opium. C'était donc ça, cette extraordinaire immobilité de l'air, ce calme avant la tempête?

— Janek, je ne sais pas très bien parler dans ta langue mais il faut me comprendre, il faut me croire. Cette guerre est épouvantable! Sans cette guerre, je serais une jeune fille comme celles de ton pays. Mais ils ont tué mon père, ils ont tué ma mère, c'est pourquoi je suis venue avec Koralski, pour me venger, pour les tuer moi aussi à mon tour. Je sais que je suis perdue, qu'ils me prendront et qu'ils me tueront. C'est comme ça! *Niech sie dzieje wola boskia!* Je m'en fous! Et pourtant... et pourtant maintenant, je n'ai plus envie de mourir. En montant ici, tout à l'heure, j'ai chanté pour la première fois...

— Allons donc, l'autre soir, chez Stéphana, tu chantais aussi avec nous!

— Oui, avec les autres, quand on boit mais pas toute seule, toute seule parce qu'on est heureuse. Et tu sais pourquoi je chantais? Parce que j'allais te voir, je pensais que j'allais te voir...

Il y a, dans cette harmonie verte, une couleur discordante comme la note déconcertante d'une symphonie. Ce qui ne m'empêche pas d'écouter cette musique et d'y prendre goût, d'aspirer cette profonde odeur marine et d'en être enivré. Sa main qui tient la mienne est brûlante avec une certaine douceur oubliée. Pourquoi ne l'embrasserais-je pas après tout? N'ai-je pas serré les autres dans mes bras dans le moment d'exaltation d'une victoire parce que nous nous sentions frères brusquement et que nous avions besoin de tendresse au milieu de toute cette brutalité? Est-elle autre chose pour moi qu'un compagnon d'armes?

Je la prends dans mes bras. Quelle suavité! Ce n'est pas l'épaule dure d'un camarade mais les rondeurs d'une féminité tiède et palpitante. Et sous mes doigts chantent les sensations harmoniques d'une élasticité voluptueuse.

Elle lève vers moi son visage. Je l'embrasse sur la joue, et sa bouche glisse contre ma bouche... Tout devient épais, brûlant et rouge. Nous sommes emportés sur les vagues tumultueuses d'une mer de feu; le flamboiement de ses cheveux, ses mains qui pétrissent ma nuque, le goût de ses lèvres et les larmes brûlantes qui baignent son visage.

— Janek *luby!*

Oui, oui, Smyrna, pauvre enfant écartelée par la brutalité des hommes! Je me rends compte soudain que c'est elle la plus malheureuse, c'est elle qui a le plus besoin de tendresse...

Soudain, la porte s'ouvre toute grande, Daniel reste bruquement figé dans son élan. Il est là, immobile, une lueur folle dans le regard. Sa voix est incisive comme un poignard:

— Tu m'as bien eu!

Sur sa bouche amère se dessine un sourire épouvantable. Et voici que tout prend un goût de catastrophe, que tout s'écroule misérablement. J'ai un geste pour retenir cette lamentable avalanche mais la vérité me glisse entre les doigts.

Daniel nous tourne le dos, Daniel s'en va de sa démarche incertaine. La porte s'est refermée et nous nous retrouvons seuls dans notre solitude rouge. Smyrna me regarde en souriant mais ce sourire m'est insupportable. Je la saisis par le bras et la pousse vers la porte :

— Va le trouver, va! Explique-lui!

— Quoi?

— Dis-lui que tu es venue pour lui.

— Ce n'est pas vrai!

— Dis n'importe quoi! Fais-lui croire que c'est pour lui!

— C'est pour toi!

— Mais bon Dieu! Tu peux faire ça, non?

— Non!

— Bon, eh bien, j'irai!

— Non!

Elle s'est mise en travers de la porte, les bras écartés :

— Si je te demande de rester?

— Laisse-moi passer!

— Bon! Va! Va avec lui puisque tu préfères les hommes aux femmes...

La gifle lui a déporté la tête si brutalement que

son front a cogné le montant de la porte. Elle a ouvert ses yeux tout grands, sa bouche s'est distendue comme dans un appel de détresse. Je me précipite, persuadé qu'elle va s'écrouler, mais non, elle me repousse avec une violence inouïe et se sauve en courant.

— Smyrna!... Smyrna!... Ecoute-moi!...

Elle a contourné le rocher et disparu dans le sentier qui descend au village.

Daniel... Smyrna... Ils sont partis chacun de leur côté, l'un avec sa démarche lente, balancée, irrémédiable, l'autre avec son sautillement d'oiseau blessé.

Dans le silence de cet après-midi vitrifié de chaleur, j'entends le cri enroué qu'elle lance aux guetteurs pour se faire reconnaître:

— « *Jeszeze Polska ni zginieka!...* »

La Pologne n'est pas perdue!

III

Le premier coup de feu claque dans la montagne et se répercute en une série de détonations de plus en plus faibles, de plus en plus lointaines. Je prête l'oreille — vieille habitude contractée dans les bois de La Grange — pour écouter la voix des chiens. Mais ici, il s'agit d'une tout autre chasse. Aucun aboiement ne vient troubler le silence profond.

Le coup de feu est parti à gauche. C'est probablement Vassief qui a tiré. Un homme isolé sans doute, autrement il aurait utilisé son pistolet-mitrailleur. Je devrais aller voir, mais je ne me sens pas le courage de me lever. Ce poste d'observation est excellent. Je vois toute la vallée par le créneau naturel d'un rocher. Et puis sous les rayons déjà tièdes du matin, après la nuit de veille que nous avons passée, je me sens envahi d'une douce torpeur. Accordons-nous un sursis. Je promets d'aller voir dès que cela deviendra sérieux, à la première fusillade.

L'alerte a été donnée hier soir. Soudain, sans qu'on n'ait pu le prévoir, les S.S. allemands stationnés près de la rivière ont pris leur dispositif de combat. Un important détachement a encerclé le village, tandis que des groupes d'assaut pénétraient à l'intérieur et fouillaient systématiquement toutes les maisons. Ont-ils cru que le renfort que nous attendions avait déjà rejoint ou voulaient-ils tout simplement s'assurer les arrières en prévision d'une attaque? Toujours est-il que la méthode de Koralski: dispersion par petits groupes dans les villages, plutôt que groupement des forces en camps retranchés dans la montagne semble être singulièrement éventée.

Toute la nuit nous avons surveillé le mouvement dans le village du plus près qu'il était possible d'approcher. Selon Smyrna, il n'y avait caché qu'un petit détachement précurseur. Le gros des troupes devait rejoindre aujourd'hui avec Koralski. Ont-ils pu décrocher à temps? Nous ne savons. Il semble en tout cas qu'une vaste opération de ratissage soit envisagée. Les positions clés une fois occupées, les S.S. ont amorcé leur mouvement vers la montagne par petits groupes avec un déploiement important de matériel.

La progression se fait très lentement, avec des précautions infinies, comme s'il s'agissait d'attaquer une importante position ennemie sur un terrain truffé de mines. Malgré notre situation critique, ce déploiement de forces et toute cette pantomime pour venir à bout d'une poignée d'hommes nous amusent. Enfin, nous sommes décidés à répondre de notre mieux à l'honneur qui nous est fait.

Le plan de défense a été rapidement établi suivant la tactique habituelle : multiplier les positions de tir pour donner le change et faire croire à une résistance importante, puis, avant l'assaut final, dispersion dans les *budkas* et attendre que l'ennemi soit passé en priant Dieu qu'aucune botte de S.S. ne vienne se poser malencontreusement sur la fragile trappe de l'abri.

Au moment de ce combat décisif, j'ai plus encore que d'habitude l'impression de me trouver en marge de l'action. Rien ne peut retenir mon attention. Et les hommes interprétant cette indifférence pour une forme supérieure du courage, adoptent par mimétisme mon calme olympien malgré l'exubérance de leur tempérament.

A côté de ma solitude, l'autre solitude, celle de Daniel est encore plus inaccessible. Je reverrai toujours sa silhouette s'en allant avec le balancement d'une marche immuable, comme une âme égarée dans un chemin perdu. L'irrémédiable est fait. Désormais il ne sera plus pour moi qu'un étranger, impénétrable et fermé.

Il a renoncé à comprendre cette vie hostile à laquelle il n'a pu s'incorporer : d'un côté cette promesse immense d'une nature généreuse qui chante la gloire de l'amour, de l'autre l'attitude incompréhensible des hommes, acharnés à détruire. Dès lors, il reste à l'écart, indifférent et amer.

Il est trop tard maintenant pour l'arracher à cette solitude. Je sais qu'il est perdu. Daniel est de ceux qu'on ne trahit qu'une fois. Le seul fil conducteur que j'avais trouvé pour arriver jusqu'à lui est coupé. Daniel est désormais inaccessible, muré dans sa solitude où plus personne ne peut l'atteindre.

Et que m'importe le reste! Le reste? Cette rage de tuer pour vivre. J'ai l'impression de ne pas très bien comprendre la règle du jeu comme lorsque, enfant, je me lançais dans la bataille sans très bien savoir à quel camp j'appartenais mais seulement pour l'ivresse de me battre.

Un instant je crois qu'au-dessus des raisons profondes l'homme est avant tout un guerrier. Il faut voir le sérieux qu'il apporte à jouer à la guerre. Où est le plaisir? A l'œil qui a cru saisir une ombre derrière un taillis, au doigt qui déclenche le feu ou à l'oreille qui entend le hurlement de l'ennemi touché?

D'un côté, ils montent pour atteindre le sommet de la montagne, en essayant de ne pas se montrer, utilisant la moindre ravine, le plus petit défilement, se plaquant contre les rochers; de l'autre, ils observent la progression avec l'œil noir de leurs mitraillettes, à l'affût du gibier qui s'aventure à découvert.

De part et d'autre c'est un jeu que l'on crie: *pour mon Führer!* ou *pour que vive la Pologne!* Les enfants brandissent une banière en criant: Vive le roi! sans se demander ce que cela signifie.

Bien sûr s'ajoutent au jeu l'odeur tiède de l'humus dans la forêt, le vent de la montagne, l'épaule amie, la vodka ou la fille aux yeux pers. Et tout cela peut s'exprimer par un hymne. J'ai chanté «*Polska nie zginieka!*» avec autant d'émotion que les Polonais.

J'ai tenté un moment de me persuader que ces hommes avaient d'autres raisons, ne serait-ce que l'odeur particulière de cette terre, celle de la patrie, et qu'ils ne pouvaient plus vivre sans respirer cette odeur-là. Et aussitôt de transposer sur le mode connu; est-ce que je ne pourrais plus vivre sans l'espoir de retrouver l'odeur chère des sous-bois de

La Grange? Mais oui, puisque j'ai largué les amarres, puisque, pour moi, l'homme sans liens est celui qui me paraît le plus riche, le plus heureux!

Le plus heureux? Daniel qui m'a longtemps servi d'exemple n'est-il pas la vivante démonstration du contraire? La raison profonde de sa détresse est justement sa solitude. Ne croyant plus à l'amitié et à l'amour, que lui reste-t-il? Sa façon de se déplacer à découvert sans prendre aucune précaution le prouve. Comme je lui fais remarquer, il se contente de hausser les épaules avec une morne indifférence. Il a dans le regard cette expression inoubliable de désespoir que l'on rencontre chez les condamnés. Daniel est perdu!

Je ne sais plus très bien quelle est ma raison d'être, si je dois essayer de sauver mon ami malgré lui ou si je dois, poursuivant mon destin, m'envelopper d'espace et de solitude. Où est la vérité: moi ou l'autre?

— Daniel, écoute-moi!... Tu ne peux pas refuser de m'écouter... Quelle que soit ton opinion sur moi, tu ne peux pas nier que je suis ton ami, ton seul ami... Rien n'est plus important que cette amitié, même imparfaite, même trahie, et tu sais très bien qu'elle n'a pas été trahie, qu'il y a eu seulement un concours malheureux de circonstances, un malentendu...

Il a ce sourire lointain, cette cicatrice mince de ses lèvres à jamais soudées. Je ne reconnais même plus son visage. Il semble que j'ai devant moi un être inconnu absolument étranger. Et voici que je suis pris soudain d'une envie irraisonnée d'entendre sa voix, sa voix éraillée, cassée, hérissée d'intonations rauques. Voici que j'ai une envie désespérée d'entendre son sifflotement léger au bout des lèvres, cet air étrange que je ne sais pas identifier... Daniel, mon seul ami, est-ce que je ne pourrais rien faire pour toi?

La seule preuve irréfutable de l'amour ou de l'amitié est la mort. Cette preuve, suis-je prêt à la lui donner? Il me semble que oui. Quoi qu'il arrive, je resterai près de lui, autre ombre étrangère, et je ne l'abandonnerai jamais.

L'ordre nous parvient enfin de Koralski de décrocher immédiatement et d'essayer de gagner Smarnow par la montagne. L'homme de liaison est arrivé épuisé après une course effrénée d'une quinzaine de kilomètres. Il nous apprend que Koralski a déjà amorcé son mouvement de repli vers Smarnow, que la consigne est d'emporter le maximum de matériel et de munitions en vue d'une action d'envergure sur la route du Dniester, enfin que les Alliés attaquent en Afrique. Des hommes cachés au village, aucune nouvelle. Qu'est devenue

Smyrna? Nous n'osons plus nous poser la question.

Nous prenons tout ce que nous pouvons d'armes et de munitions, fermons la *budka* hermétiquement pour tenter de sauver ce qui reste de matériel, et nous nous mettons en route par petits groupes, en progressant lentement vers le sommet. Notre seule chance de salut est de passer le col et de redescendre sur l'autre versant par une vallée encaissée.

Cependant, avant de gagner le col, il faut traverser un large découvert devant un assez haut promontoire qui risque d'être déjà occupé par l'ennemi. En effet, nous avons la désagréable surprise d'apercevoir de l'autre côté, mais légèrement en contrebas, une importante colonne de « vaches noires », les S.S. ukrainiens. Il s'agit sans doute d'une partie de la garnison de Kolstov que nous voulions justement attaquer.

La situation devient critique. L'accrochage est inévitable. En effet, on ne peut passer sans être aperçus des Ukrainiens. Heureusement, notre habitude de nous déplacer avec précautions comme un gibier constamment traqué nous donne la supériorité de l'effet de surprise. Les Ukrainiens ne nous ont pas encore vus alors que nous les avons déjà dépistés. Il s'agit de profiter de ce léger avantage en passant tous en force et rapidement, pendant qu'un fusil-mitrailleur en batterie les tiendra en respect s'il leur prend envie d'attaquer.

Je ne sais comment Daniel s'est trouvé allongé en position de tir avant même qu'un ordre ait été donné. Peut-être parce qu'il a été le plus prompt à comprendre la situation ou le plus rapide à se déplacer étant donné qu'il est le moins chargé d'entre nous en raison de son jeune âge. Cette initiative me déplaît singulièrement, mais il faut faire vite, et je fais signe aux autres de passer tout en leur faisant comprendre que je reste avec Daniel.

Les gerbes de terre aux points d'impact, avant même les détonations, nous avertissent que nous avons été vus. Daniel, qui semblait n'attendre que ce signal, déclenche son fusil-mitrailleur et tire par chargeurs entiers, profitant de l'instant de désorganisation de la colonne. Les Ukrainiens, un moment désorientés, se terrent dans les taillis, s'abritent derrière les rochers. Pendant ce temps nos hommes avancent à vive allure malgré leurs charges. Je suis attentivement leur progression. Ils ne vont pas tarder à atteindre le col et à leur tour ils pourront protéger notre retraite avec leurs armes automatiques.

Daniel tire sans arrêt. Agité par les soubresauts

de son fusil-mitrailleur, il semble emporté dans une étrange chevauchée voluptueuse : volupté de la peur mêlée à celle de détruire. Il a le regard aigu du fauve sur sa proie, et ses lèvres, avec le rictus cruel de l'implacable désir de tuer, me rappellent le sourire mince de Koralski.

Je me déplace un peu pour essayer de voir où ils en sont. On ne voit plus rien. Ils ont dû atteindre le col. J'appelle Daniel pour lui dire de changer de position de tir. Les Ukrainiens ont dû certainement le repérer et il est imprudent de rester plus longtemps à la même place. Mais il ne m'entend pas ou feint de ne pas m'entendre. Et alors...

Et alors... Mais je ne saurais expliquer au juste ce qu'il s'est passé. La terre a jailli soudain dans une violente explosion et je me suis senti soulevé du sol. J'ai dû retomber durement mais sans perdre l'esprit, avec la conscience instinctive que je n'avais aucun mal. Je me souviens aussi que j'ai aperçu vaguement à travers l'épais nuage de poussière et de fumée, Daniel, toujours penché sur son fusil-mitrailleur mais il ne tirait plus.

Je me suis glissé en rampant jusqu'à lui. Je l'ai tiré en arrière. Ce corps disloqué ne me semblait pas avoir perdu complètement la vie. Il fallait faire vite, s'éloigner, s'éloigner le plus possible. Un autre obus éclatait déjà mais plus loin. La terre jaillissait en gerbes compactes sur le découvert où nos hommes venaient de passer. Je me souviens qu'un instant, mon fardeau dans les bras, j'ai hésité, ne sachant plus ce qu'il fallait faire. Et puis brusquement je me suis mis à courir, derrière les rochers, à travers les taillis, sous le couvert des arbres, revenant sur mes pas, vers la *budka*, l'abri, le gîte. La trappe refermée — j'ai encore eu la présence d'esprit de disposer des branchages pour camoufler l'entrée — je me suis écroulé épuisé près de Daniel. C'est ce qui explique que je ne me souviens plus très bien de tout cela.

Maintenant, il faut s'habituer à ce râle léger, comme une plainte d'enfant malade, à l'atmosphère étouffante de la *budka*, au silence épais, peuplé pourtant de légers bruissements qui me font chaque fois sursauter. Ne vient-on pas de marcher sur la trappe au-dessus de ma tête? Et l'attente longue, longue et incertaine?...

La seule trousse à pharmacie que nous avions a été emportée par les hommes du groupe de Bojak. Dans l'abri, pas un médicament, pas même un comprimé d'aspirine. Sous le faible rayon de ma lampe électrique dont la pile est presque entièrement usée, j'ai nettoyé les plaies et fait des pansements sommaires en déchirant ma chemise. Il semble avoir été atteint à la jambe surtout. Bien que les blessures ne paraissent pas profondes, les chairs sont tuméfiées et déchiquetées de la cheville au genou, et la désarticulation complète du pied laisse supposer une ou plusieurs fractures.

Il est inerte, les yeux clos, avec seulement cette plainte intermittente, et je me demande s'il est encore plongé dans l'inconscience ou s'il reste volontairement enfermé dans son mutisme. Chaque minute qui passe nous éloigne l'un de l'autre, et je sens que je livre une grande bataille, la bataille de ma vie peut-être.

N'ai-je pas dit que la preuve irréfutable de l'amour et de l'amitié était celle du sacrifice suprême? Alors tout n'est pas perdu puisque je suis encore là, vivant et debout! Stimulé par une nouvelle énergie, je me décide enfin à agir. Il n'est plus temps d'attendre. Dans les moments où tout est en mouvement, où tout se déplace, où tout est en marche, l'immobilité est une forme de trahison. Il faut essayer d'atteindre le village coûte que coûte, chercher du secours, sauver Daniel.

J'ai essayé de lui faire comprendre que je ne l'abandonne pas, que je vais chercher du secours, que je ne tarderai pas à revenir et qu'on le transportera à Smarnow où se trouve Koralski avec ses troupes et le chirurgien des partisans. Mais il n'a pas semblé m'entendre. N'importe, je ne puis attendre davantage. Je laisse à portée de sa main ma gourde à demi pleine d'eau, une petite boîte contenant notre réserve de sucre et le dernier lambeau de ma chemise. Sans me retourner, je saute sur l'échelle, soulève la trappe, sors de la *budka*...

Dehors rien n'a changé. Et cependant tout est différent. Le calme est revenu certes, mais il subsiste dans l'air comme une odeur étrangère. Pourtant rien ne rappelle la courte bataille engagée là, à part quelques branches cassées, quelques ornières et la terre labourée par endroits. Et malgré tout, il semble qu'une chose importante soit révolue. Une page vient d'être tournée. La journée s'achève à peine et déjà la moitié du jour fait partie du passé. Il faut transposer au présent et s'accommoder de ce changement de temps.

Le village aussi survit comme un souvenir incertain. Dans la rue déserte, des boîtes de conserves, des cendres, de la paille brûlée font plus le vide que le vide lui-même. Une fenêtre béante laisse entrevoir un intérieur saccagé. Le silence est partout comprimé par une atmosphère pesante. Tout semble irréel. Et je ne m'étonne pas de cette ombre près de moi, qui emboîte mon pas, une ombre maigre, décharnée, avec de longs bras qui s'agitent comme des sémaphores :

— *Giezki, Slowiec, Bogaz... alle kaputt!*

— Et Smyrna?

— Smyrna?

L'espace d'une seconde, j'ai levé mon regard vers le ciel, un ciel bleu tendre de fin d'après-midi, et j'ai deviné plutôt que je n'ai vu le geste épouvantable :

— *Wie so!... Wollen si sehen?*

— *Nein!*

Ainsi l'espace d'une seconde tout a été dit! En quelle année, en quelle saison Smyrna se plantait-elle devant moi, ses yeux d'émeraude reflétant l'ombre verte de la forêt, sa chevelure flamboyante s'agitant comme une moisson d'or sous la brise d'été? « Je suis venue pour toi!... ».

L'ombre étonnée s'est arrêtée, me pose une longue main sur l'épaule :

— *Wollen sie nicht sehen?*

Ainsi quand ma mère est morte, mon père s'étonnait aussi de mon obstination. Il avait fallu son regard triste pour me décider à pénétrer dans la chambre, à m'approcher, le cœur battant, dans la pénombre, de cette cire luisante sous la clarté scintillante des cierges, à poser mes lèvres sur une joue de marbre...

— Oui, je veux la voir. Conduis-moi!

Dans la cour de l'école, d'autres ombres s'affairent en silence. La grande classe est ouverte. Les tables ont été poussées dans un angle. Ils sont là, à même le sol, allongés, raides, bien tranquilles sous les couvertures qui les cachent pudiquement. De temps en temps, on soulève une couverture. Une vieille femme se penche. On entend un sanglot étouffé. Sur le tableau noir des noms sont inscrits, et je me demande un instant si c'est la liste des tués ou celle des élèves qui se sont fait remarquer à la dernière classe.

J'ai jeté par-dessus une épaule un coup d'œil rapide sur une innombrable chose ensanglantée, mêlée de cheveux roux. Cela ne concerne pas Smyrna. C'est impossible. Cependant... Cependant, une petite médaille que je reconnais brille, intacte au milieu de cette chair sanguinolente, et mon regard ne peut plus se détacher de cette vie ronde et métallique. Ainsi les objets, apparemment inertes, prennent soudain par rapport à la mort une présence et une réalité qui leur donnent plus de vie que la vie animée elle-même. Devant cette médaille, plus que devant cette chair morte, j'ai l'impression que nous vivons au-delà de ce cadre étroit du temps que nous avons tort de gonfler d'importance.

Par bonheur une voix profonde et connue m'arrache à ce triste spectacle:

— Malheur! malheur! N'est-ce pas?

Pétrenko, le vieil instituteur, me prend le bras et m'entraîne hors de la classe.

— Vous pas rester ici, danger, Allemands, attention!

Je lui explique que je voudrais rejoindre Koralski à Smarnow mais que je n'ai pas de moyens de transport et que mon camarade est blessé.

Son visage mobile prend d'abord une expression de profonde tristesse, puis un large sourire le plisse entièrement, enfin il redevient sérieux et lève un doigt sentencieux :

— Attention! Ici Allemands partout. Vous remonter là-haut. Ce soir nous venir chercher *Danyl*. Vous aller Smarnow par rivière, dans petite bateau. A Smarnow, vous chercher Piétrowsky, chemin de fer où la route passer avec barrière. Piétrowsky fidèle ami à moi, lui pendant trente ans nettoyer mes chaussures avec joie, valet de pied comme dites-vous?

Un bruit de moteurs nous ramène brutalement à la réalité. Nous avons juste le temps de bondir derrière une haie. Deux voitures bourrées de S.S. allemands passent en trombe dans la rue déserte du village. Après l'alerte, il se relève très digne et, tout en époussetant sa redingote d'un revers de main distingué :

— Après la guerre, je vous invite à chasser le

canard dans mes réserves.

Cette phrase dite sans faute avec un ton d'ex-trême distinction est ce qui m'étonne le plus des événements de la journée. Tout en marchant, je m'efforce de garder un demi-pas de distance der-rière la silhouette de Pétrenko, comme je le faisais toujours lorsque je marchais avec mon père.

IV

La barque, suspendue dans la nuit vogue entre les masses sombres des rives, dans une coulée d'eau et de ciel. A l'avant, arc-bouté sur ma longue perche, je repousse le rocher qui nous menace, les roseaux qui veulent nous enliser de leur fraîcheur bruissante, et je maintiens le bateau dans la direction, sur cette vague clarté stellaire qui nous guide. Daniel est allongé à l'arrière, sa jambe emmaillotée dans un sac, et posée sur ma vareuse roulée en coussin, l'autre genou pointant l'air, la tête appuyée sur ses bras croisés sous la nuque.

Il s'agit d'arriver au plus vite chez les partisans de Koralski. Pétrenko nous a bien assurés qu'ils avaient un excellent chirurgien et que très rapidement il remettrait la jambe de Daniel en état.

Quelle étrange chose que cette navigation nocturne! Dans un monde de formes opaques et d'ombres bleutées! Tout est énigme. Cette masse qui vous oppresse à droite comme une montagne n'est peut-être qu'un arbre, tout simplement. Ce goufre qui vous aspire avec un effroyable gargouillis n'est que les vestiges d'un pont. Peu à peu, on s'en remet à l'instinct qui prend le pas sur l'intelligence, et la navigation se fait au jugé entre des ombres qu'on n'identifie pas toujours mais qu'une intuition infaillible classe bonnes ou mauvaises, suivant les circonstances. Et cela est tellement conforme à ma nuit, à cette vie qui s'étire dans un monde d'aveugles!

Le jour nous nous réfugions au milieu des roseaux. Cachés derrière ce léger rideau frissonnant, nous essayons dans une longue sieste moite d'attendre la nuit, la nuit fraîche et mobile, la nuit amie et courageuse. Le soleil fait crisser les herbes autour de nous. La moiteur de l'air nous enveloppe comme une serviette humide et chaude. Les moustiques se posent lourdement sur la joue, ivres de chaleur, et nous n'avons aucune peine à les écraser. De temps en temps, j'asperge le bateau à grands battements de mains, et mes ébats troublent un instant le silence sidéral du marais.

Daniel ne se plaint pas. Il reste de longues heures, immobile, comme plongé dans une lourde torpeur, mais je vois au cillement de ses paupières qu'il ne dort pas et qu'il suit le cheminement compliqué de la même pensée obsédante.

La souffrance a creusé deux rides sur son visage, de chaque côté de la bouche. Je n'ose défaire le pansement de son pied, et pourtant il le faut. Quand je retire le linge, je ne puis réprimer un mouvement de stupeur; le pied tuméfié est devenu informe, au-dessus, la jambe est énorme et violette jusqu'au genou, l'odeur de la plaie est intolérable. J'ai soudain l'impression que nous sommes gagnés de vitesse par un rival obscur, beaucoup plus fort que nous.

Que se passe-t-il? Je ne comprends pas très bien. Cet être que rien n'a corrompu malgré les souillures de toutes sortes, soudain gangréné dans sa chair, rongé, mortifié. J'essaie de comprendre et n'y parviens pas. L'équilibre serait-il rompu? Cette beauté qui m'a tant de fois étonné par sa perfection, brutalement entamée! Dans le visage hâve, creusé, laminé par la fatigue, noirci par la barbe, dans ce visage d'homme maintenant s'éclaire un sourire d'enfant, un sourire pur avec son damier de petites dents éclatantes.

— Regarde la danse des libellules, comme c'est joli!

En effet, les libellules font autour de nous un

ballet léger, gracieux, harmonieux, joyeux, pareil à une ronde d'enfants. Je n'avais pas remarqué. Le soleil irise leurs ailes qui vibrent rapidement comme des cils de jeune fille.

— C'est la danse de l'amour!

— Comment sais-tu cela?

— Tout est amour.

— Qui t'a dit cela?

Cette science soudaine m'impressionne. Je me souviens de son interrogation, il n'y a pas si longtemps, lorsque nous étions agrippés aux barreaux de notre cellule: «Et l'amour, ça existe?».

— Mais c'est toi!

— Moi?

— Tu m'as dit que la loi essentielle sur terre était l'amour.

Ce sourire ineffable et cette façon inattendue de parler me surprennent. La chaleur est étouffante. Je m'asperge de nouveau.

— Tu ne veux pas que je t'arrose un peu?

— Si tu veux.

Il rit sous la douche. Et je commence à m'inquiéter de ce rire qui sonne curieusement. Les moustiques tombent lourdement sur ses mains, sur son cou, sur son visage, il ne fait pas un geste pour les chasser.

— Tu vois ces petites bêtes?

— Quelles bêtes?

— Ces pucerons sur les roseaux.

— Je ne vois pas.

— Il y en a des multitudes.

— Ah!

— Tu ne sais pas ce qu'elles font?

— Non.

— L'amour!

Je commence à me sentir mal à l'aise dans cette position. Je m'assieds. La chaleur devient intolérable. Je me douche encore une fois, et le bateau oscille un moment. Il rit:

— Tu ressembles à Xaül, avec tes cheveux mouillés.

— Qui est-ce Xaül?

— Celui de la mer.

Je m'approche doucement de lui, écarte les moustiques, lui prends la main; elle est brûlante! Mais tout est brûlant sous cette chaleur orageuse, les planches de la barque, les ferrures des rames, l'eau elle-même est tiède.

— Tu as mal?

— Non.

— Tu veux manger?

— Non.

— Tu veux boire?

— Non.

Il me regarde et me sourit de son étrange sourire. Je suis incommodé par cette odeur intolérable qui monte du fond de la barque, de sa jambe enroulée dans le sac où les grosses mouches, de plus en plus nombreuses, s'agglutinent et s'acharnent contre la toile.

Il faut faire quelque chose. Me voici tout à coup chargé du poids de Daniel. Si le Toubib était là, il trouverait des mots techniques qui rassurent. Moi, je n'ai pas de mots devant cette chair qui lentement se décompose.

Enfin, je décide de repartir sans attendre la nuit. Nous risquons d'être vus, mais qu'importe! Le poids de Daniel est trop grand pour moi.

— Nous allons repartir.

— Oui.

Il rit de joie. Après tout, avec cette chaleur, peut-être que nous ne rencontrerons personne. La région d'ailleurs semble déserte, et sur le croquis de Pétrenko aucune agglomération n'est indiquée avant ce petit village en ruines où je dois trouver un viel ami de Pétrenko, Piétrowski, qui doit me conduire jusqu'au colonel Koralski.

Et de nouveau le froissement léger de la coque contre les roseaux. Daniel s'amuse. Il laisse pendre sa main qui effleure l'eau. Je tire ce poids énorme à longs coups de perche, pour sortir de cet enlisement, pour retrouver l'eau vive et le courant.

A quel jeu jouons-nous? On serait sur un ba-teau, je serais capitaine et puis toi tu serais blessé. Une seconde, l'odeur de la cuisine de La Grange me parvient jusqu'ici. Maroux apparaît sur le seuil, s'essuie les mains à son tablier, cligne les paupiè-res : « Jo-ô, Jo-ô, ne reste pas au soleil! ».

Une, deux, une, deux! Les muscles des épaules me font mal. Ils se contractent en boule. Je re-trouve ma fatigue un moment oubliée. Une, deux, une, deux! La proue enfonce dans ce rideau léger de roseaux qui s'ouvrent et s'écartent avec un bruissement doux. Parfois une tige plus grosse éclate en se pliant avec un claquement sec comme un coup de fusil. Les grenouilles, dérangées, en-nuyées d'interrompre leur sieste, plongent à la der-nière seconde, lorsque la barque les frôle, en fai-sant un gros floc!

De temps en temps, je me hisse sur la ban-quette pour essayer de m'orienter. Mais partout c'est la mer infinie des roseaux. « Attention, disait Pétrenko, suivre le courant toujours! »

C'est facile à dire. Mais dans cette eau stagnan-te, comment retrouver le courant? J'ai beau lancer de temps en temps des petites brindilles de ro-seau, elles flottent en se dandinant, sans avancer d'un pouce. J'ai peut-être trop obliqué cette nuit, en quittant la rivière pour nous cacher. Dans le noir, les distances vous paraissent différentes.

Je m'arrête un peu pour souffler. Daniel dort, la tête renversée en arrière. Le soleil brutal lui frappe le front de plein fouet. Il garde la bouche ouverte, et les grosses mouches s'obstinent, avides, dans les commissures des lèvres. Je me place légèrement de côté pour lui faire un peu d'ombre.

— Tu seras mon témoin.

Je me retourne, stupéfait. Je croyais qu'il dormait. Il a les yeux grands ouverts et son sourire angélique.

— Ton témoin?

— Elle sera habillée de blanc, avec des roses, beaucoup de roses...

Je comprends enfin qu'il n'est plus nécessaire de répondre. Il ne m'entend plus. Je m'assieds, exténué, sur la banquette, épuisé soudain par ce poids énorme qui m'écrase. Je me sens seul, terriblement seul, sans courage pour lutter contre cette force implacable. Et soudain je comprends qu'il n'y a plus rien à faire. Sur le visage de Daniel, le signe est là, la marque effroyable qui ne trompe pas, le sceau irrémédiable. Je n'ai pas su le défendre contre cette main invisible qui est venue le marquer brutalement sur le front.

270 O qu'avez-vous fait? Y a-t-il un lien impalpable

entre toutes choses? Est-il écrit quelque part qu'ici doit se terminer la parabole de Daniel? Fallait-il que ce soit ici? Pourquoi cette riche substance qui fait briller le soleil et tourner les planètes doit-elle à cet instant quitter ce corps, cette perfection inattendue, et abandonner cette chair à la putréfaction?

Je me sens soudain écœuré par une nausée amère. Et, la tête dans mes mains, les oreilles bouchées pour ne plus entendre cette voix qui s'épuise à raconter des rêves désormais irréalisables, j'essaie de vomir ma douleur, de me débarrasser de cette énorme boule indigeste qui m'étouffe. Mais il ne sort de ma bouche distendue, du fond de mes entrailles, qu'un cri rauque, désespéré.

L'équilibre est rompu. Quel poids énorme doit peser sur l'autre plateau de la balance pour que Daniel si léger, si léger, soit jeté de ce côté du fléau!

— Si j'ai un fils, je l'appellerai Georges comme toi.

— Tu ne veux pas boire?

— Georges...

Soudain, il ouvre les yeux. Une angoisse folle passe dans son regard. Il se soulève un peu. Sa bouche a un rictus atroce.

— Tu m'as menti! Salaud! salaud! salaud!...

— Daniel voyons!

Je ne puis supporter toute cette haine qu'il me vomit au visage. Pitié Daniel! Pitié! Je lui essuie la bouche. Il ne m'entend pas, il ne peut plus m'entendre. Cependant je parle, je parle pour combler ce trou, ce vide qui s'ouvre, ce silence immense qu'épaissit encore davantage le crissement léger des roseaux sous le soleil.

— Elle est venue t'attendre jusqu'au bout du chemin. Elle ne sait pas encore que c'est toi. Elle essaie de reconnaître ta démarche... Et voici qu'elle t'a reconnu, à ta façon de rejeter le bras en arrière. Aussitôt, elle s'élance, elle court, elle court vers toi. Sa jupe légère claque comme une voile sur ses jambes nues. Elle se jette dans tes bras, la tête sur ta poitrine comme ces hirondelles exténuées qui tombent sur le pont des navires...

Il ne m'entend probablement plus de ce rivage lointain où il aborde. Mais sa tête s'est inclinée, ses paupières se sont fermées, comme s'il écoutait vraiment, et j'ai un instant l'espoir insensé qu'il va sourire et me demander de continuer mon histoire.

Le soleil descend sur la plaine. Déjà, une brise un peu fraîche agite les roseaux. Dans le ciel impitoyable, une brume vaporeuse avance lentement de l'orient comme un rideau qu'on tire. Les crapauds essaient timidement leurs coassements, et les libellules jouent une dernière fois dans la clarté oblique. C'est dans cette étrange paix du soir que doit s'achever une chose importante. C'est là que doit tomber le météore que le hasard un jour a lancé du néant. C'est là que l'histoire de Daniel va prendre fin.

Ah! que c'est long! Dans ce corps, pétrifié, immobile, pesant, inerte comme une matière devenue inutile, un petit souffle vit encore, un souffle qui s'échappe dans un râle, haché par une même plainte brève, monotone, à peine triste. Je lui essuie la bouche et l'humecte de temps en temps d'un peu d'eau. Mais ses lèvres ne bougent même pas. Il n'a besoin de rien désormais. Un masque terrible s'est posé sur son visage, un masque dur, étranger, presque mauvais. Il me semble brusquement que je suis là de trop, que je dois m'écarter, que je n'ai rien à faire ici, à cet instant, dans cet acte étrange, mystérieux qui se consume. Il s'enferme dans un autre monde où je n'ai pas accès.

Voici qu'il s'agite, sa tête se tourne légèrement, il ouvre les yeux, me regarde longuement, profondément, comme s'il cherchait à me reconnaître, comme s'il remontait de lointaines profondeurs. Ses lèvres remuent, il parle, je me penche tout près.

— Où sommes-nous?

J'ai très bien compris. La question était à peine distincte mais j'ai bien entendu. Et je crie tout près de son oreille, comme s'il n'y avait entre nous qu'une distance à combler:

— Nous arrivons à Smarnow!

M'a-t-il entendu? M'a-t-il compris? Sa tête retombe doucement de côté, ses paupières se ferment, et je vois errer sur ses lèvres une sorte de rictus qui ressemble de loin à son sourire.

C'est fini. Je n'entendrai plus la voix de Daniel. Je ne verrai plus son regard clair, ce regard qui se levait souvent vers moi pour m'interroger. Il a tourné le dos à notre amitié, à tout ce qui fut son passé, et s'achemine lentement, péniblement vers une autre solitude, vers une autre évasion. J'entendrai encore longtemps son halètement doux qui ira s'amenuisant, s'amenuisant, jusqu'au dernier spasme.

A quel moment m'a-t-il quitté exactement? Je ne sais pas, je ne saurai jamais. J'ai dû m'assoupir un instant, le temps de quelques secondes. Il est parti à ce moment, sans bruit, sur la pointe des pieds, profitant de mon sommeil. Je le vois s'en aller, avec son petit sourire d'enfant, quelle bonne farce quand il retrouvera cet autre pantelant qui n'est plus moi!

274   Oui, quelle farce! Cette chose étendue dans la

barque me rebute tout à coup. Que vient faire là cet étranger, immobile et encombrant? Ce n'est pas Daniel qui s'installerait comme cela en prenant toute la place, qui me laisserait seul me débrouiller avec le bateau, seul tirer ce poids énorme!

Je n'aime pas cette façon qu'il a de me tourner la tête, son attitude n'est pas franche, il doit rire sous cape. Comment me débarrasser de cet intrus? Je voudrais tout de même lui voir son visage. Est-il ressemblant? Et je tourne doucement sa tête vers moi. Ciel! C'est tout le portrait de Daniel!

Son visage rasséréné soudain a repris sa beauté de naguère, un visage d'adolescent avec seulement un peu plus d'ombre dans le creux des yeux. Sa lèvre supérieure se soulève légèrement au-dessus des canines pointues dans une contraction qui rappelle d'assez loin son sourire un peu triste d'enfant malheureux.

— Raconte-moi l'histoire du couteau!

J'ai ma gorge qui se serre terriblement au point qu'il m'est difficile de respirer. Je bois un peu d'eau dans le creux de ma main et me lave le visage. Ça ira peut-être mieux après.

Le soleil a disparu derrière les roseaux. Le ciel s'est empourpré. Les nuages font un tableau violent de couleurs vives qui fusent avec âpreté. Une brume légère se lève du marais. Je frissonne brusquement. Mon pauvre Daniel, que vais-je faire de toi? Je m'assieds de nouveau, pesant, épuisé, avec une folle envie de tout abandonner. Je me sens lourd, terriblement lourd du poids de Daniel.

On serait sur un bateau, je serais capitaine et puis toi tu serais mort. O jeux de mon enfance, voici donc que vous me poursuivez jusqu'ici! Il me semble, en effet, avoir déjà *joué* à cela : la barque, les roseaux, le soleil couchant. Je n'ai pas besoin de tourner la tête, je sais que la *chose* est là, immobile.

Ainsi donc, nous ne sommes pas des êtres étanches, imperméables? Une même substance riche nous baigne et nous pénètre à travers l'espace et le temps. Les jeux de notre enfance continuent, mais cette fois sans joie, une obligation de gestes successifs suivant un rite bien établi, sans l'enthousiasme et sans la poésie merveilleuse des imaginations inconcrètes.

J'obéis à cette injonction implacable qui veut que j'avance vers un but impossible à définir. De temps en temps une vision m'aide, une vision rapide, fugace, pour me faire signe, me persuader que je ne me suis pas trompé, m'encourager à poursuivre dans le même chemin. C'est à l'instant cette seconde vécue intuitivement déjà dans un décor que je reconnais soudain formellement, mais en quel siècle?

Le calme est encore épaissi par la nuit. La fantasmagorie du couchant s'est éteinte. Les crapauds ont réglé leur concert nocturne sur la respiration même du marais. Toutes choses s'enlisent dans une douceur tiède. Mon cortège s'avance, ombre noire sur ombres grises, dans cet adagio funèbre rythmé par le clapotement de l'eau.

Et soudain, j'entends derrière moi siffler l'air de Daniel, cet air impossible à identifier, qui vient se juxtaposer extraordinairement sur les rythmes graves du marais, sur le battement clair de ma rame. Et cette musique poignante étreint ma gorge, et ma vue se trouble, et mes lèvres tremblent, et les sanglots s'échappent de cette autre bête que je n'ai jamais réussi à dompter, et de mes yeux coulent les premières larmes, lourdes, lourdes, de toute notre détresse, de toute notre misère, de tout notre pauvre amour inexprimable.

O j'avais une larme dans l'œil!
Une larme pour toi, mon ami.
O j'avais une larme dans l'œil
Et cette larme est tombée aussi.
Les oiseaux chantent au printemps qui
passe,
La moisson frissonne sous le vent,
La rivière au pont coule sans lasse,
Et dans le ciel tout est comme avant.

Tout est comme avant mais le soleil
Ne réchauffe plus comme au passé.
Si tout semble hier, rien n'est pareil.
Aujourd'hui n'est plus notre passé.

Les jours d'antan jamais ne reviennent.
Ami perdu ne retrouve plus.
S'il tend la main qu'aussitôt la prenne
Car celui qui meurt ne revient plus.

O j'avais une larme dans l'œil!
Une larme pour toi, mon ami.
O j'avais une larme dans l'œil
Et cette larme est tombée aussi.

C'est fini. Ma peine est vomie. Je n'ai plus qu'à reprendre ma rame, mon fardeau, mon métier d'homme. Déjà la barque est plus légère. Le courant m'emporte, plus vif. La brise apporte, encore ténues mais discernables, les senteurs soudain saumâtres d'un port, d'un havre, d'une faible espérance.

Cette clarté là-bas, n'est-ce pas un jour nouveau? Un coq chante au loin dans la plaine, un cri joyeux qui avive ma peine, une note gaie sur un accord mineur. Dans cette aube s'avancent devant moi les ruines d'une ville. Des pans de murs démantelés ouvrent dans la clarté rose du ciel les trous béants des fenêtres. Cette digue noire qui contient la rivière, n'est-ce pas la route dont parlait Pétrenko? Et voici, énorme, en travers de l'eau, un barrage immense, gigantesque, le pont de bateaux, le terminus.

Je sais maintenant comme dans un rêve où trouver Piétrowski. Mon pas résonne sur un chemin de pierres au milieu des ruines. La maison est telle qu'on me l'avait décrite. Le vieux exactement semblable à une vieille connaissance.

— Je viens de la part de Pétrenko.

Le «Sésame, ouvre-toi». On plonge en courbettes. Je suis un personnage attendu. Plus difficile à faire comprendre ce que j'apporte dans ma barque. Je réussis tout de même à l'entraîner avec moi. Et lorsqu'on rejoint le bateau caché dans un petit bras de la rivière, il comprend immédiatement.

A nous deux, Piétrowski, pour partager la charge! Maintenant je ne suis plus seul. Mais il a l'habitude. Les cadavres, ça le connaît. Le moment de surprise passé, tout s'organise comme autour d'un ordonnateur de pompes funèbres. Voici du travail intéressant. Il a retrouvé sa faconde et me tient de longs discours que je ne comprends pas et auxquels je réponds invariablement: *nie rozumie*. Il me fait signe que cela n'a aucune importance. L'essentiel pour lui est de parler. Ça, je l'ai compris.

Décidément, il a l'habitude. C'est probablement

lui qui a enterré tous les habitants de cette ville. L'adresse donnée par Pétrenko était précieuse. Bonne petite tête de fossoyeur, va! Il fouille les poches de Daniel, me tend son portefeuille, sa boîte à tabac, son briquet, le fameux briquet offert par Bernard, et dont il était si fier!

Nous sommes obligés d'appuyer un peu sur le genou pour le faire entrer dans la boîte. Daniel me jette un dernier regard qui filtre sous ses paupières mi-closes, un dernier sourire étrangement figé sur sa lèvre retroussée, et voilà, c'est fini, le couvercle est fermé. Désormais nous avons affaire à un cercueil, c'est plus facile!

Plus facile à transporter sur ce petit chariot à bras qui devait servir jadis les jours de marché. Plus facile à descendre au fond de ce trou visqueux et humide dans un coin de ce cimetière immense, presque aussi grand que la ville.

Qu'avons-nous fait encore? Je ne me souviens plus. Si, quand nous nous sommes trouvés seuls sur le chemin, avec cette familiarité, cette complicité que créent les basses besognes, je lui ai mis la main sur l'épaule, un peu parce que mes jambes commençaient à faiblir, un peu aussi pour le faire taire; n'avais-je pas entendu un cri, un appel derrière moi? Mais non, tout est bien mort dans cette ville morte!

ÉPILOGUE

Le commandant Renaud est petit, le crâne un peu dégarni, le geste prompt. La malice brille dans son lorgnon. Derrière lui, le portrait austère du général de Gaulle lui confère une dignité solennelle. Ses mains jouent avec tout ce qui tombe à leur portée, les papiers sur le bureau, une règle, un stylo, une bonbonnière anglaise. Dans cette chambre aux boiseries de l'époque victorienne, rien ne rappelle l'armée si ce n'est nos uniformes, le général en veste de cuir et les dossiers entassés dans des cartons avachis.

— Lieutenant Barges, cette nouvelle mission que j'ai à vous confier a un caractère spécial.

Je me suis couché tard hier. Je ne m'attendais pas à cette convocation d'urgence à l'état-major. Je croyais pouvoir souffler un peu. Le mauvais whisky

continue à faire son effet néfaste dans mon estomac, et la cigarette douceâtre que le commandant
m'a offerte m'écœure. Mais je me tiens raide sur
ma chaise, stoïque, prêt à toutes les épreuves.
Mon récent galon de lieutenant me donne une nouvelle bravoure.

— Il s'agit cette fois d'une mission à Paris.

J'ai sursauté malgré moi et mon regard se vrille
au sien. Le seul nom de Paris aurait-il raison de
mon indifférence? Quand nous en parlons à la
popote entre camarades, c'est pour se remémorer
l'époque comblée d'avant-guerre, plus que pour
évoquer la capitale, et dans notre conversation, *le
plus beau de tous les tangos du monde* a
une place aussi importante que la butte Montmartre.

Paris! J'écoute les instructions du commandant
d'une oreille distraite. Il s'agit d'apporter à Besan-
çon tout un dispositif d'actions en liaison avec
Londres, sous une forme codifiée qu'il me faudra
apprendre par cœur. Son adresse, que je note de
mémoire, est comme un appel discret du destin:
rue Vaugirard! De la rue Vaugirard on descend vers
la Seine par la rue de Rennes et la rue Bonaparte,
jusqu'au quai Voltaire. J'ai déjà l'odeur particulière
du grand escalier, et devant moi se cadre la porte
aux moulures surannées, avec son cordon de sonnette désuet.

— Bien sûr, si vous avez de la famille à Paris, votre mission accomplie, vous pourrez vous accorder quelques jours de détente, à condition d'être prudent.

Je me suis ressaisi brusquement dans une sorte d'autodéfense subconsciente.

— Je n'ai pas de famille. Je suis pupille de l'Assistance Publique.

Le commandant a un large geste de confusion:

— Excusez-moi! Je devrais le savoir. J'ai là tous les dossiers personnels. Mais je n'ai jamais le temps de les compulser.

Je suis mal à l'aise sur ma chaise. A-t-il vent de quelque chose? Je jette un coup d'œil à la dérobée sur son bureau. Au milieu d'un désordre voulu de papiers, j'aperçois une photographie. N'est-il pas en train de comparer mon visage à ce portrait? N'est-ce pas pour cela qu'il me regarde avec tant d'insistance? Je passe discrètement ma main sur ma moustache. Elle est toujours là, et me rassure un peu.

Depuis que, dans ce bar de Londres, j'ai failli être reconnu par un de mes cousins, je suis devenu prudent. J'ai rasé mes cheveux et me laisse pousser la moustache. D'autre part, l'habitude que j'ai prise de parler avec une pointe d'accent anglais me donne une nouvelle personnalité.

— A propos, votre action a été efficace. D'après les derniers renseignements reçus, votre camp de déportation en Pologne aurait été dissous. Les prisonniers de guerre, évadés d'Allemagne, ne seraient plus déportés dans des camps d'extermination mais internés dans des compagnies disciplinaires, ce qui est tout de même plus conforme à la convention de Genève. Beaucoup de vos camarades se sont évadés. Les uns combattent dans les maquis polonais, d'autres ont pu rejoindre la France libre, en particulier Bernard, que vous devez sûrement connaître et qui est actuellement à Alger. Il a remis une liste des morts et des disparus dont voici un exemplaire, en connaissez-vous?

La feuille tremble légèrement dans mes mains. Je parcours rapidement la liste alphabétique. Mon nom n'est pas à D mais à B. Pourtant j'ai toujours déclaré Debray sans détacher les deux syllabes. Les bougres ne m'ont fait grâce d'aucune particule. Je lui rends la liste.

— Oui, j'en connais. Excusez-moi, mon commandant, mais lire tous ces noms...

— Je comprends très bien votre émotion. Enfin tous ne sont pas sur cette liste, vous voyez, puisque Bernard est à Alger. Il sera content de vous revoir. Vous le connaissez?

— Oui, bien sûr.

Ainsi donc, nous ne sommes pas libres? Le passé ne nous lâchera pas? Je ne pourrai jamais réussir cette évasion hors de moi-même? La voix du Toubib résonne à mon oreille: l'homme est esclave de sa condition.

Ma joie est tombée. J'ai beau préparer mon léger bagage pour ce nouveau départ, je sais que lorsque l'avion me larguera au-dessus de la France, je trouverai au bout de ma chute le quai Voltaire. Et déjà je me demande si Annick est retournée à Paris comme le laissait prévoir sa dernière lettre, s'il ne faudra pas que j'aille jusqu'à La Grange.

Dans ce bar londonien où je suis venu tuer les dernières heures d'attente, je n'arrive pas à me reprendre. Trop de pensées me préoccupent: les camarades là-bas, Bernard à Alger, le commandant, le quai Voltaire, Annick, le souvenir de Daniel et mon fils. Oui, mon fils, le voici tout à coup qui danse comme un rayon de soleil au milieu de toute cette draperie de nuages sombres.

Les conversations du bar me parviennent par bribes:

— *What a nuisance!*

— *It's no joke waiting for hours!*

— *Attack is expected to be this week.*

— *Really?*

— *That's a good joke!*

— *...bombing raid?*
— *It's all right!*
— *Joker!*
— *...bombs... splinter...*
— *Hitler is kaputt!*
— *Bother the man!*
— *Blast you!*
— *...casemate.*
— *I'm blasted hungry.*

Non, les événements n'ont aucune prise sur moi. L'attaque imminente me laisse indifférent. Le drame est ailleurs. J'accomplis tout cela parce que je dois le faire, et je le fais sans me poser de questions, sans me laisser entamer. Mission accomplie, Toubib! Mission accomplie, mon commandant! Ne me demandez pas, par surcroît, d'être enthousiaste. Je ne suis pas absolument persuadé que tout cela est important. L'essentiel, pour moi, est de me maintenir à la surface, de surnager au-dessus des événements, de ne pas sombrer, et d'orienter ma barque.

Je l'ai ma liberté, complète, entière. Me voici nanti d'une nouvelle vie, d'une autre personnalité. Mort de Bray, tout est possible à Daniel Barges. Nous avons cette fois largué toutes les amarres. Qu'allons-nous faire maintenant de cette vie neuve? La question me prend un peu au dépourvu. Est-ce pour revêtir un uniforme et claquer les talons que j'ai changé d'état civil? Mon nom véritable n'aurait-il pas fait aussi bien dans cette panoplie?

On ne peut renier son passé. L'état civil est une chose, l'homme en est une autre. Le quai Voltaire sonne dur sous mon pas résolu. La Seine m'apporte déjà toutes ses senteurs marines, le havre, le port. La porte cochère est grande ouverte. L'escalier me broie le cœur avec l'odeur de mon enfance, et lentement, mes pas se posent malgré moi sur les marches usées où sont passés mes pas d'enfant. O le timbre de cette sonnette que j'avais oublié! O la course légère d'Annick, reconnue entre mille! Oh!... Pardonnez-moi... pardonnez-moi... mais tout cela est inexprimable!

Jo entre dans la salle de bain, les deux mains dans les poches de sa robe de chambre, comme un honnête monsieur qui va prendre son bain.

— Jour, Pa Jo!

Il me tend sa tête ébouriffée, ses joues marquées par l'oreiller, ses paupières encore lourdes de sommeil. Je lui barbouille le visage avec mon blaireau, et le voilà qui s'esclaffe en se frottant le nez.

Puis, délibérément, il se débarrasse de sa robe et apparaît tout nu comme un rayon de soleil au printemps. Je le convoite avec les yeux mi-clos d'un fauve qui observe son petit. Il faut voir ça de près. Je pose mon rasoir.

Il se tient debout devant moi, les mains derrière le dos, comme un conscrit à la visite. Et me voici, palpant ses bras, ses jambes, ses reins, passant un doigt dans la fossette de ses omoplates. Les épaules sont un peu trop pointues mais elles sont larges, c'est l'essentiel. Il faudrait un peu plus de chair par ici, et un peu moins par là. La cage thoracique est puissante avec ses côtes médianes qui saillent à chaque respiration. Une bonne caisse.

— Eh! eh! mon gaillard, vous avez une tournure satisfaisante!

Et je l'enlève dans un élan de voluptueuse tendresse pour mieux le renifler. Il a un goût de couscous chaud.

— Tu joues au chien Pa Jo?

Et, à son tour, il fourre son nez dans le creux de mon épaule et renifle.

— Oh! tu sens le bois!

Cette odeur de bois m'inquiète. Le bois mort, le sapin…

— Le bois?

— Oui, quand je vais au Bois avec Maroux, ça sent comme ça.

Voilà au moins un parfum vivant qui ne me déplaît pas. Décidément, je ne finirai jamais de me raser aujourd'hui! Il barbote dans la baignoire comme un petit canard et je ne me lasse pas de le regarder.

— Vois, Pa Jo!

Il plonge la tête dans l'eau et la ressort deux secondes après, à demi suffoqué, les yeux fermés sous les petits ruisseaux qui coulent de ses cheveux.

— Tu as vu? J'ai mis toute la tête dedans avec les oreilles!

— Je pose mon rasoir de nouveau:

— Attends!

Penché sur la baignoire, j'aspire l'air au ras de l'eau, la tête renversée comme pour une respiration de crawl, puis je plonge. Je m'amuse à chasser l'air en gammes croissantes et décroissantes, imitant la sirène d'alarme. Jo bat des mains, émerveillé.

— Oh! là, là, ce que tu restes longtemps! Comment fais-tu?

Je recommence une fois, deux fois. Je ne veux pas être le papa gonflé de science, qui explique avec un intolérable ton de pédagogue, mais le copain plus âgé qu'on essaie de copier. Il n'en perd pas une miette et, à la troisième plongée, sans besoin d'explications, je le vois, avec une joie orgueilleuse, prendre en m'imitant sa respiration à fleur d'eau et souffler par le nez dans l'eau comme un bon nageur.

— Tu peux aller jusqu'au fond?

— Bien sûr!

— Pourquoi tu ne te baignes pas aussi? Tu pourrais aller jusqu'au fond.

Une telle proposition m'enchante. J'envoie promener mon pyjama, et à mon tour me voici nu. Il a un regard franc, direct, et cette remarque :

— Tu en as une brosse là!

Et c'est tout. Ses yeux partent vers d'autres nouveautés : le modelé des bras, la forme des épaules, le jeu des muscles sous la peau. Pas une seule fois, il ne jettera un coup d'œil en biais à ce qui fut sa première découverte. Brave petit gars!

Soudain son regard s'immobilise, son doigt suit sur ma poitrine une fine ligne blanche à peine perceptible. Mais rien n'échappe à ses yeux fureteurs :

— Qu'est-ce que c'est ça?

— Un coup de couteau.

Il s'illumine. Sa bouche ne peut endiguer le flot de questions qui se précipitent. Il en bafouille :

— Qui?... d'où?... avec?...

Et enfin cette interrogation qui dans un raccourci résume tout, cette trouvaille de son vocabulaire :

— C'est comment un coup de couteau?

Il me semble entendre la voix de Daniel : « Raconte-moi l'histoire du couteau ». Quand une femme me pose la question — car les femmes aussi ont des yeux fureteurs — je raconte les circonstances de l'accident, la sempiternelle querelle entre un légionnaire et un goumier pour une Radijah de quatorze ans, ce qui ne manque pas, lorsque je suis en verve, de mettre une note exotique à nos agapes de chambre close. A mon fils, je précise laconiquement :

— C'est un type qui voulait me descendre.

Aïe! Il arrondit ses yeux. Que va-t-il me demander?

— Et toi, tu ne l'as pas descendu?

Je m'attendais à toute autre question. Quel gosse!

— Non. Il était caché derrière une porte. J'ai été surpris.

Bien sûr, autrement... Dans sa petite tête, les sourcils froncés, il essaie de se représenter la chose. Puis le fruit de sa réflexion :

— Il n'était pas juste!

En argot du milieu, on dirait pas régulier. Cette puissante logique doit trouver ses arguments dans une histoire de billes.

Tour à tour, nous plongeons dans le fond de la baignoire. Et tandis que je m'amuse à mordiller ses doigts de pieds, j'entends sa voix de tête qui se précipite pour compter le temps que je reste immergé. J'abrège pour ne pas qu'il s'embrouille. Que les enfants sont ignorants de nos jours!

Quand arrive son tour, je compte rapidement pour marquer un progrès à chaque fois. Il jubile. Et comme il veut que tout son monde prenne part à sa joie, le voici hurlant à tue-tête :

— Maroux, Maman, Maroux!

Annick arrive affolée, suivie de Maroux, et toutes les deux nous voyant barboter dans la baignoire s'esclaffent. Puis la conscience professionnelle se rappelant à Maroux, elle s'écrie, les bras au ciel :

— Mon Dieu, la salle de bain!

Le fait est que, incommodée par nos ébats, une bonne partie de l'eau de la baignoire s'est subrepticement enfuie sur le carrelage.

Annick ne se lasse pas de me regarder, longuement, tendrement. Elle est cent fois plus belle qu'avant. Femme, terriblement femme, avec je ne sais quoi de lointain, d'inconnu, de mystérieux; notre séparation sans doute!

Sa main joue dans mes cheveux ras. Elle sourit :

— J'aime assez ta nouvelle tête. La moustache te va bien. Mais je n'aime pas ton nouveau nom : Daniel Barges. Il fait un peu... un peu... théâtral.

Comment l'as-tu choisi?

Oui, comment, comment Daniel? Pourquoi cette survie? Si je pouvais retourner remettre ce petit portefeuille là-bas, dans la boîte où je t'ai enfermé, ce petit portefeuille de quatre sous, avec ta carte d'identité à peine lisible, et ce papier jauni où apparaît comme un rêve, le portrait de la fille que j'avais dessinée pour toi en prison; des filles comme ça, ça existe?

Laisse-moi, Annick, laisse-moi, veux-tu? La barque est bien arrivée dans le port, mais ne jetons pas encore l'amarre, laissons-la flotter sur l'eau calme comme si elle était toujours libre.

Elle me passe au doigt la lourde chevalière de mon père. Me voici de nouveau étiqueté sur chef de gueule.

— Il est mort en t'appelant. Il te demandait pardon, je ne sais de quoi. Je n'ai pas compris ses dernières paroles. Il n'avait plus très bien conscience, tu sais.

Oui, je sais Annick, je sais. Qu'elle est lourde cette bague à mon doigt! Oh! je suis lourd de la mort de mon père, je suis lourd de la mort de Daniel!

Me voici dans mon cabinet, à ma table de travail. Rien n'a changé depuis tant d'années. La bibliothèque est bien à ma droite avec ses reliures fauves et ses dorures vieillies. A ma gauche, le chevalet et sa toile vierge. Sur la table, l'encrier en bronze doré surmonté de l'aigle impérial. Il fut donné par Talleyrand lui-même au duc de Villeroy lors de son ambassade à Londres. Combien de fois, poursuivant ma pensée, ai-je fixé mon regard sur cet aigle figé avant l'envol dans un grand battement d'ailes?

Je n'ai pu m'empêcher d'être ému en rentrant dans cette pièce. Annick, dans son respect idolâtre pour tout ce qui me touche, avait conservé tous ces bibelots, ces tableaux, ces livres, ces esquisses, ces papiers éparpillés dans leur délicieux désordre.

C'est devenu une habitude, je m'enferme là quand je le peux sous prétexte de travail. En aucun cas Annick oserait venir me déranger. Je suis donc seul, dans un calme à peu près complet. C'est au fond uniquement cette solitude que je viens chercher. A part quelques gribouillages sur des feuilles éparses, mon occupation consiste à me promener dans la bibliothèque où je bâille irrévérencieusement devant Plutarque, à la fenêtre où je suis d'un œil morne la lente navigation de quelques rares chalands sur la Seine.

J'ai ouvert ce cahier dans lequel je consigne mes notes. Cette occupation contractée en prison est devenue une habitude. Je ne me sens aucun goût pour le travail littéraire. Les vers écrits dans ma jeunesse sont les balbutiements d'un état d'âme saisi au vol plutôt que l'ébauche d'une aspiration poétique. Il ne me viendrait jamais à l'esprit d'entreprendre une œuvre issue de mon imagination. Et si je m'attarde à ces pages, c'est parce qu'elles sont un moyen de voir un peu plus clair au fond de moi-même.

Ce cabinet où j'ai passé des heures si agréables dans ma jeunesse, me donne aujourd'hui l'intolérable impression d'une cellule. J'éprouve tout à coup une impérieuse envie de sortir, de fuir. Mais non, je ne sortirai pas, je le sais. Je m'imposerai ces trois heures de réclusion parce qu'Annick me croit là, occupé, parce que Jo doit venir tout à l'heure me relancer bruyamment, précédé de son joyeux tapage. C'est donc ça le bonheur? Une suite d'habitudes paisibles, un perpétuel sacrifice à la tendresse des êtres que l'on chérit?

J'entends d'ici Maroux qui chante «Sous les ponts de Paris». Elle connaît ainsi deux ou trois rengaines de la même époque qu'elle chante régulièrement une fois par jour, en faisant le ménage. Sous les ponts de Paris... C'était hier! Je me revois, jouant sur le parquet avec un petit train mécanique. Je vouais aux chemins de fer une adoration presque mystique. Je construisais un véritable dédale de voies. Des boîtes en carton constituaient les gares et les stations, et le robinet bas de la cuisinière représentait, dans mon imagination, un magnifique château d'eau. La cuisine se transformait peu à peu en un réseau ferroviaire important, ce qui obligeait Maroux à faire des entrechats pour ne pas culbuter mes wagons. Parfois, par mégarde, un de ses pieds causait un déraillement, et je menais un tel tapage qu'elle m'embrassait pour se faire pardonner, et m'aidait de son mieux à réparer la catastrophe. Mon univers à cet âge se bornait à un petit train, quelques bouts de carton, le robinet de la cuisinière et les jupons de Maroux.

Sous les ponts de Paris! Je ne regrette pas tant mon enfance que toute la féerie de cet âge. La vie alors est une symphonie gaie, une poésie joyeuse qui nous laisse des impressions vagues et fugaces, un naïf enchantement qu'on ne retrouvera plus jamais.

Le front contre la vitre, j'écoute Maroux chanter. Elle n'a pas changé, ou si peu. Toujours semblable à la bonne Maroux de mon enfance, gaie, tendre, rieuse, infatigable, dévouée jusqu'au sacrifice, avec toujours le mot d'humour, accompagné de son rire clair, qui vient résumer les débats les plus graves, les situations les plus dramatiques. Tout est comme autrefois, et il me semble que je suis tombé sur une autre planète.

Tout est comme autrefois? Non! Il y a Annick qui ne chante jamais, Jo, mon petit, qui n'est pas tout à fait moi-même, et moi qui ne sais plus exactement ce que je suis. Et puis, il y a ce portrait de mon père, dans son cadre, sur le bureau, cette lointaine ressemblance au fond d'une eau dormante, ce regard qui brille encore sur ce papier glacé.

Je respire profondément et tourne en rond, les deux mains dans les poches. La bibliothèque, le bureau, la fenêtre, la bibliothèque, le bureau, la fenêtre... L'homme est un éternel captif qui cherche à s'évader de sa condition...

Je me plante résolument devant la fenêtre et tourne le dos à mon passé. Devant moi, le Louvre dresse sa façade grise dans un ciel tourmenté. Quel est cet air qu'on sifflote soudain derrière moi, cet air impossible à identifier? Tu crois qu'on va arriver bientôt à Smarnow? Je ne pourrai jamais oublier ce dernier regard qu'il m'a jeté, ce dernier regard qui filait entre ses paupières mortes.

Il faut absolument que je me jette sur quelque chose. Deux jeunes filles passent sur les quais. Et pour avoir vu leurs sourires à baiser, leurs gorges tendres et petites, un fourmillement de tout l'être me pousse à sortir. Il me faut immédiatement la rumeur de la rue, les êtres que l'on dévisage et que l'on convoite, l'air tiède, parfumé des senteurs de Paris, le vert vaporeux des arbres dans ce printemps qui s'éternise.

J'ai pris seulement mon imperméable dans le vestibule et j'ai refermé la porte sans bruit. Et déjà je suis dans la rue, mêlé à la foule, avec dans la poitrine ce dilatement de joie qui vous soulève au sortir de prison.

Non, je n'aurai pas épuisé toutes les sources tant qu'il y aura à ma portée la faune des rues, la jungle des villes où se jeter, où se perdre, où se recréer! Mon bonheur est donc en dehors de la tendresse des êtres que j'aime?

Je vais au hasard, avec la démarche longue, élastique du fauve en chasse, les narines dilatées, humant l'odeur des femmes. Ma piste suit un dédale capricieux: la Buci, la Soufflot, le Boul'Miche, avec arrêts aux étalages de bouquinistes pour renifler les vieilles brochures, ou admirer les croûtes. Un groupe de jeunes gens chevelus, à mine incontestablement zazou, me donne envie de me mêler à leur bêtise. Le coin de la Soufflot avec le Panthéon au bout me fiche un coup au cœur.

Je suis deux petites perruches, court-vêtues, jambes maquillées, chapeaux extravagants:

— Oh! j'ai vu une ravissante blouse de mousseline de soie, incrustée d'entre-deux de valenciennes...

Scènes renouvelées des spirituelles syracusaines de Théocrite. Je les lâche parce qu'elles n'ont pas daigné me regarder tant elles sont absorbées par leurs chiffons.

Il ne faut pas que j'oublie cette inscription lue dans une vespasienne, qui me gonfle d'un mâle orgueil : courage, on les aura! Ici, c'est la France violée par l'invasion barbare. Et de même qu'à l'Etoile je pensai à Hérodote : « Un dieu se plaît à abaisser les hommes. Entre les peuples, ceux qui étaient petits sont devenus grands », sur la rive gauche, je songe à la carence artistique de Rome victorieuse et à la floraison des chefs-d'œuvre de l'Hellade vaincue. Mélancolie de la grandeur et de la décadence des hommes et des peuples, tantôt bénis par la providence, tantôt victimes de la fatalité! Et l'humanité roule, et le flambeau passe de main à main, Lydie, Egypte, Perse, Grèce, Rome, jusqu'à la France, dans cet interminable marathon de la civilisation. Va-t-elle mourir à l'arrivée comme l'envoyé de Miltiade?

O banc mille fois béni de cette allée du Luxembourg où m'a conduit mon flair de chasseur! Oh! non, elle n'a pas dix-sept ans cette petite fille à la toison brune, et si charmante déjà avec son manteau blanc de quatre sous, ses jambes de femme, haut croisées, son regard tantôt baissé sur un livre ouvert, tantôt levé vers le ciel écumant de nuages, comme pour y déchiffrer l'oracle que sa bouche esquisse mollement!

Je m'assieds, tremblant à ses côtés — tant pis pour ma barbe qui n'est pas fraîche — et j'essaie de définir son odeur comme le setter sous le vent du gibier. Ce n'est pas à proprement parler la noisette. J'opinerais plutôt pour le cuir frais de chevreau. Elle a pour moi le regard lointain d'une petite fille qui récite une fable du grand bonhomme. Et ciel! j'entends distinct le murmure de cette source!

« ...Il entendait frémir dans la forêt qu'il aime

Ce doux vent qui faisant tout vibrer en nous-mêmes
Y réveille l'amour... »

Là, l'oracle est illisible. Elle répète, les sourcils plus rapprochés :

— *« ...Y réveille l'amour... »*

Et comme l'hiéroglyphe reste indéchiffrable sur le ciel sibyllin, je joue l'Œdipe avec une voix de comédien français :

« ...Et, remuant le chêne ou balançant la rose,

« *Semble l'âme de tout qui va sur chaque chose*

chose

« *Se poser tour à tour...* »

Elle me regarde, surprise, puis finalement me sourit. Si j'avais dix-sept ans, je pourrais à brûle-pourpoint lui poser une colle. Mais hélas! à mon âge, il faut déjà adopter le ton poncif:

— Ma pauvre enfant, qu'avez-vous fait pour mériter un pareil pensum? La Tristesse d'Olympio par un si beau jour de printemps?

Elle rit. Oh! la charmante enfant!

— Je vais certainement sécher en litt...

Elle se reprend:

— En littérature.

Le vocabulaire du Quartier Latin n'a pas varié depuis ma jeunesse.

— Voulez-vous que je vous aide?

Et sans attendre la réponse, j'ai pris de ses mains le recueil de morceaux choisis. Elle a un regard avide de chatte sur le chaton de ma chevalière, et un coup d'œil à la dérobée sur mon profil ciselé désormais sur chef de gueule. O femme!

Quand nous avons fermé le livre, je connaissais déjà le modelé de la cuisse sous la légère étoffe du manteau.

Les arbres ont une majesté plus noble, les êtres portent la bonté sur le visage, je ne suis plus un homme traqué, tout devient beau, tout devient grand, tout devient facile. Je me rappellerai ce sourire engageant d'un enfant à qui je renvoyais la balle, pour m'inviter à jouer. Qu'ai-je donc pour mériter ainsi la confiance des êtres? Je suis tout exultant de cette joie du permissionnaire qui fait une bonne fortune. Et quand nous nous regardons, debout, l'un devant l'autre, à la bouche du métro, n'est-ce pas à cause de cette analogie, très poilu en perme, que je lui demande:

— J'aimerais vous revoir encore une fois avant mon départ.

— Votre départ?

O la stupide pesanteur de ces mots lancés au hasard, qui vous poursuivent comme une injonction irrémédiable du destin! De là il n'y a qu'un pas jusqu'à la rue Vaugirard.

La pendule marque 8 heures. Plus d'une heure à attendre. Plus d'une heure à supporter le regard triste d'Annick. Plus d'une heure en tête à tête avec mon fils qui a de la peine à comprimer les élans joyeux que tout ce remue-ménage de la gare éveille en lui. Plus d'une heure à garder mon calme, à tenir bon pour ne pas flancher. Tenir bon! le mot de la guerre, le mot de la vie!

Sur tous les visages la même vague tristesse, le

même ennui, la même lassitude. De pauvres gens, de pauvres paquets, des sourires contrits. Où sont les gares d'antan avec leur bruyante gaieté, leurs riches voyageurs et leurs beaux équipages? Partout la joie est absente. Vers quel pays s'est-elle enfuie?

A une table voisine, un être charmant. J'essaie de m'emparer de cette chose, et me tourne résolument vers elle. Un chic audacieux, un chic de temps de guerre, avec son chapeau important, ses cothurnes exagérés. Elle a une façon attendrissante de compter dans son sac à main, le front préoccupé. Si je pouvais me faufiler dans son compartiment!

Mais non, l'accent n'y est pas. Je me leurre. Et le plus navrant c'est que je ne me prête plus à cette comédie. Bordeaux, Biscarosse, Saint-Sébastien, Lisbonne, Londres! L'Espagne, le Portugal, l'Angleterre! Dans ma poche, mon portefeuille est gonflé de papiers rassurants au nom de Daniel Barges. Une évasion, tu entends? J'essaie de me fustiger, mais l'enthousiasme ne vient pas. Pourtant il me semble revivre une évasion. Comme à Augsbourg, c'est le même buffet morne, le même bourdonnement confus des conversations à voix basse, jusqu'aux uniformes feldgrau des soldats allemands qui complètent l'illusion. Oui, mais il y avait autre chose, la foi peut-être. Voilà, la foi n'y est plus, hein? C'est ça?

Je pars sans illusions. Peut-être vaut-il mieux ainsi. Ce que je vais trouver, je le sais par avance, ne comblera pas mon espérance. Au fait, ai-je vraiment quelque espérance? Je ne cherche rien, je ne désire rien. Alors, pourquoi partir?

Soudain j'envisage l'hypothèse de rester. Ne suis-je pas libre? J'ai bien le droit de me reposer un peu. Je reste. Ce geste comblera de joie des êtres qui me sont chers, et peut-être, en retour, trouverai-je quelque plaisir à ce sacrifice qui n'en est pas un, à ce bien chétif et cependant efficace.

«Le ressort principal et fondamental dans l'homme comme dans l'animal, c'est l'égoïsme.» Avec quelle joie j'inscrivais en tête de ma composition scolaire cet aphorisme de Schopenhauer. *Bellum omnium contra omnes.* Le *Selbstsucht* plutôt que l'*Eigennutz* me plaisait parce que plus naturel, plus véridique, foncièrement vrai; l'égoïsme de l'animal. Où sont enfuies ces affirmations de jeunesse? J'ai donc bien changé?

Et me voilà tremblant par crainte du renoncement, alors que j'aurais plus de joie à rester, et que je pourrais ainsi par surcroît dispenser du bien.

Bien sûr! Seulement voilà, *ils* ne me lâchent

pas! Je les vois tous qui se concertent et se regardent avec des airs entendus. Prost lève son visage pâle : « Je ne suis pas d'attaque, mais si vous pouvez nous sortir de là... » Et le Toubib avec son sourire inimitable : « Pour toi, c'est une mission de confiance... » Et Daniel, habituellement si indifférent, devenu brusquement farouche : « Si être patriote consiste à se bagarrer contre ceux qui vous empêchent d'être libres... » Ah! que vous êtes tous exigeants!

J'ai commandé un autre demi car ma gorge est sèche. Vraiment, je ne pensais pas que ce serait si dur. Annick ne boit pas, et me regarde à la dérobée, pour bien imprimer mon image dans son souvenir ou pour essayer de s'expliquer le mutisme dans lequel l'émotion et le tumulte de ma pensée me renferment. Elle a encore sous les yeux les meurtrissures de cette nuit. J'y songe et soudain mes fibres s'émotionnent. N'a-t-elle pas crié : « Pauvre Jo! » avec une tendresse émouvante au paroxysme du plaisir? Pauvre Jo! Pauvre Annick! La pitié est-elle aussi le fondement de la tendresse?

C'est la première fois qu'en de telles circonstances, une femme s'apitoie sur l'auteur de toute cette musique. Au juste, s'agissait-il de moi ou de mon fils? On ne sait jamais avec cette complexité des entrailles. Je n'ai pas osé le lui demander. Et maintenant, avant de partir, il me semble que cette question est primordiale.

— Annick, j'ai quelque chose à te demander de très important...

O le regard clair et serein de ses yeux! Une petite péronnelle farcie de culture se serait composé un visage.

— Cette nuit, quand tu as dit : « Pauvre Jo! », à qui pensais-tu, à moi ou au petit?

— A toi, voyons!

J'ai envie de l'embrasser. Il ne s'agit pas d'un sentiment vain, Dieu m'en garde! Je ne sais pourquoi, je préfère que ce soit ainsi. Cette pitié, c'est sa tendresse, sa supériorité sur moi, sa bénédiction. Diable que la gorge me serre! Je crois que je vais me mettre à aimer bougrement cette petite.

J'ai saisi son poignet au-dessus du gant, et doucement je le caresse d'un doigt. Son regard de nouveau s'appuie sur moi, trouble d'émotion. Soyez heureuse, petite Annick, je ne vous veux aucun mal, je ne vous ferai jamais de mal. Vous êtes par-dessus tout cette petite chose sacrée à laquelle je crois.

Je sens naître comme une certitude : je reviendrai. Indubitablement, je reviendrai. Quelque chose de moi reste ici. Comme ces navires amoureux des mers, je porte enfin le nom d'un port d'attache à la poupe de mon vaisseau.

L'heure a sonné. Il a fallu ces quelques gestes du voyageur qui s'installe : la valise dans le filet, l'imperméable sur la banquette avec les deux ou trois journaux achetés au hasard, et déjà je suis virtuellement parti. Je n'arriverai pas dans cet ultime tête-à-tête à combler l'espace qui nous sépare.

Sur le quai, Annick et Jo ont le même geste : l'une me tient le bras, l'autre la main comme pour me retenir. O ce vide des dernières minutes qui précèdent la séparation!

Je passe une dernière fois la main dans les boucles petites et drues de Jo. Il lève sur moi un regard grave d'enfant qui me bouleverse. Le coup de sifflet qui ordonne les derniers embrassements. Annick pose sa bouche d'amante, sa bouche de la nuit, qui s'ouvre et aspire. Le petit me tire le cou et frotte son museau contre un jeune chat. Le train démarre, le train m'arrache, le train m'emporte. Penché à la portière, je les unis tous les deux dans un même regard : elle, courageuse et raidie, lui, navrant avec sa moue de gosse qui a de la peine. Il me crie dans un sanglot :

— Reviens vite Pa Jo!

Et déjà ils se brouillent dans ma vue, et déjà ils disparaissent, et déjà je suis seul, un peu sonné comme le boxeur après un dur combat.

Le paysage de la banlieue défile dans la grisaille d'une pluie triste. Je ferme les yeux et j'essaie de comprimer cet étrange écœurement de tout mon être.

Des images dansent sur mes paupières closes : le sourire tendre d'Annick, le regard étonné de mon fils. Tandis que les roues du wagon scandent cet air que sifflait Daniel, cette musique lointaine que je n'ai jamais pu identifier.

O j'avais une larme dans l'œil!...

Rawa Ruska, 1942.
Saint-Pierre du Perray, 1962.

TABLE DES MATIÈRES

TITRES PARUS DANS LA COLLECTION

LAURENCE OLIVIER FOUR
15, RUE DE COURTONNE
14000 CAEN

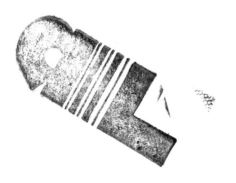